HERBERT W.
Der Elfenbe

Von Herbert W. Franke
sind bisher erschienen:

Der Elfenbeinturm
Das Gedankennetz
Die Glasfalle
Der grüne Komet
Der Orchideenkäfig
Die Stahlwüste

HERBERT W. FRANKE

DER ELFENBEINTURM

Ein utopisch-technischer Roman

MÜNCHEN

WILHELM GOLDMANN VERLAG

1965 · Made in Germany · WTB 049 / Z 60 · vB
© Copyright 1965 by Wilhelm Goldmann Verlag, München.
Alle Rechte, auch die der fotomechanischen Wiedergabe,
vorbehalten. Jeder Nachdruck bedarf der Genehmigung des
Verlages. Umschlagentwurf: Eyke Volkmer. Gesetzt aus der
Linotype-Garamond-Antiqua. Druck: Presse-Druck- und
Verlags-GmbH. Augsburg.

DIE SONNENSTRAHLEN, die durch die Glaswand drangen, erwärmten die Luft über den Regelwert hinaus, und mit einem leisen Klicken der Relais schaltete sich das Kühlsystem ein. Ein frischer Atem strich die Scheiben entlang; für einen Augenblick hauchte er die mattweiße Milch winziger Wassertröpfchen darüber.

Mortimer Cross löste den Blick vom Silber der Gipfel und vom Blau der Firnenfelder, die nun hinter aufsteigenden Schleiern schwankten. Er rollte seinen Liegesessel ein wenig von der Sichtfläche ab; auf einen Knopfdruck hin hob sich die Rückenlehne um eine Handspanne und rastete in Mittellage ein. Mit Befriedigung konstatierte Mortimer, wie gut sich die lederüberzogenen Schaumgummipolster der Seitenlehnen seinen Unterarmen anschmiegten, so daß er nicht befürchten mußte, nach der Siesta die häßlichen Male von Kanten und Ecken in der jeder Beanspruchung entwöhnten Haut zu finden.

Die Wärme, das leise Rauschen der Stimmen im Hintergrund, die unbestimmten Träume und die sanfte Müdigkeit des Nachmittags – das alles ließ jeden Wunsch, jedes Verlangen sinnlos erscheinen. Von allen Sehnsüchten blieb nur die angenehme Wehmut zurück, die von der Leere trennt.

Mortimer versuchte sich aus dem Netz seiner Lethargie zu befreien, doch er mußte wiederholt tief ein- und ausatmen, ehe er das Mikrophon zum Mund zu heben vermochte, um Kaffee zu bestellen. Prompt näherte sich der Robotwagen in der Leitschiene und stellte die Nickelschale mit der dampfenden Köstlichkeit auf die Magnetfläche des Tisches. Mortimer nahm einen belebenden Schluck. Er fühlte das Prickeln des Tatendrangs durch seine Adern pulsieren und richtete sich ein wenig auf.

Sein Blick glitt über die anderen Gäste im Saal. Rund ein Drittel der Tische war besetzt, meist von einzelnen Männern und Frauen, die die Aussicht genossen, in Magazinen blätterten oder sich von der Stille und vom Nichtstun lähmen ließen. Wenn sie sich bewegten, sich in den Sesseln zurechtsetzten oder ihre Tassen zum Mund führten, taten sie es langsam, als wären sie sehr müde oder sehr ausgeruht. Auf der Haut ihrer Gesichter lag ein stumpfer Glanz.

Mortimer verstellte den Polarisationswinkel seiner Sonnenbrille. Die Glaswand neben ihm wurde dunkellila, und er sah sein Spiegelbild: ein angenehmes, wenn auch mageres Gesicht mit vielen scharfen Falten, ungebändigtes Haar, das locker wie Schaum auf dem Kopf saß und glänzte – blond oder weiß, das war im Belag des stumpfen Lichts nicht zu unterscheiden.

Ein unterdrücktes Lachen riß ihn aus seiner Versunkenheit. Es wirkte wie ein Gongschlag, weil sonst kein Laut aus der Geräuschkulisse des Surrens der Gummiräder in den Leitschienen, des Fauchens der Klimaanlage und des gedämpften Murmelns der Menschen heraustönte.

Mortimer blickte unauffällig zum Nebentisch. Die zwei Mädchen, die er durch den Vorhang eines Spaliers von Kletterorchideen erblickte, brachten irgendeine in ihm vergrabene Erinnerung zum Schwingen. Beide hatten dunkles Haar, doch außer dieser Übereinstimmung gab es nur Gegensätze: Die eine unterstrich ihre Erzählung – und sie schien etwas zu erzählen – mit lebhaften, obzwar nur angedeuteten Gesten der nervösen Hände; das war Lucine. Die andere hörte mit leicht zusammengekniffenen Augen und mit einer Andeutung ironischer Skepsis im Gesichtsausdruck zu; das war Maida. Mortimer kannte die Namen, ohne zu wissen, woher. – Aber das war nichts Überraschendes in der Traumatmosphäre dieses Hotels oder Sanatoriums, wie man es nun nennen wollte – nichts, worüber man nachdachte. Es passierte oft, daß solch ein Funken aus einer dunklen, jenseitigen Region aufglomm und verlosch, ehe er ein Feuer entzündete.

Mortimers Blick grub sich in die beiden glatten Gesichter, als gälte es, etwas aus ihnen zu lesen, etwas, das irgendwie verschlüsselt darin eingeprägt war ... Er bemühte sich vergebens. Das einzige, was er in sich wachrufen konnte, war ein Anflug von Sympathie.

Mortimer stand auf, trat an den Nebentisch, lächelte und verbeugte sich.

1

Sie trafen einander während der allwöchentlichen Pressekonferenz in der großen Halle des Gemeinschaftshauses. Während die Journalisten ihre vorbereiteten Fragen in die Mikrophone sprachen, blickte Mortimer unauffällig umher. Er kannte den anderen nicht, aber er vermutete, daß es jener großgewachsene Afrikaner war, der an der Säule lehnte und heftig an einer Zigarette zog, die er im Mundwinkel hängen hatte. Wenn seine Vermutung zutraf, dann waren sie beide zu früh gekommen, doch vor dem Schluß der Pressekonferenz durften sie den Saal sowieso nicht verlassen, wenn sie sich nicht verdächtig machen wollten.

Es war noch nicht so weit. Zwar konnte Mortimer die große Bildfläche vorn auf der Bühne nicht sehen, doch gab es auch hier im Hintergrund genügend kleine Fernsehschirme, auf denen man die bedruckten Streifen beobachten konnte, die sich aus dem Ausgabeschlitz wanden. Und zum Überdruß las sie der Sprecher auch noch vor.

›... Das erste Vorhaben im Rahmen des Weißen Plans ist der Bau eines Skistadions und einer Fabrik für Synthetischen Schnee am Ostrand des inneren Citygürtels. Die eine Million Zuschauer fassende Tribüne wird mittels des neuen Verfahrens der Elektronendiffusion geheizt.

Frage: Warum wurde die Bevölkerung nicht unverzüglich von den Aufständen im Massai-Distrikt unterrichtet?

Antwort: Nach den Berechnungen des OMNIVAC hätte eine vorzeitige Bekanntgabe im ganzen afrikanischen Raum ein Steigen des Unruhepegels um elf Prozent über den Normalstand zur Folge gehabt. Dadurch wäre der Regierung die inzwischen erfolgte friedliche Rückgliederung der abgefallenen Gruppen ins Staatsgefüge erschwert worden.‹

Zum Zeichen des Einverständnisses klang da und dort Applaus auf. Mortimer blickte ein wenig nervös auf das große Zifferblatt an der Rückwand des Saales: Die Zeit war schon um fünf Minuten überzogen.

Frage: Noch immer besitzen fünf Prozent der Bevölkerung kein Auto. In den Notstandsgebieten sind es sogar sieben Prozent! Wann endlich erfolgt die schon seit langem angekündigte kostenfreie Zuteilung der Standardmodelle an Bedürftige?

Mortimer achtete nicht auf die Antwort. Diese Ignoranten mit ihren lächerlichen Problemen! dachte er. Aber die Stunden der Weltregierung sind gezählt . . .! Aus dem Augenwinkel musterte er den Afrikaner an der Säule; als sich ihre Blicke trafen, wandte er die Augen rasch zur Seite. Plötzlich erhielt er einen leichten Stoß, und ein gedrungener Mann mit einer Jockeikappe trat neben ihn, ohne auch nur einen Seitenblick zu verschwenden. Unter dem Arm geklemmt trug er die ›Confidential‹ vom Tag zuvor – auf der richtigen Seite aufgeschlagen und die Ecke mit der Seitenzahl abgerissen. Das war das Zeichen! Also war es doch nicht der Afrikaner.

Mit Unbehagen wartete Mortimer das Ende der Pressekonferenz ab, und als sich die Teilnehmer erhoben und im Gebäude zerstreuten, folgte er dem anderen, der ohne besondere Eile auf die Straße hinaustrat und die Richtung zum Ostbezirk einschlug.

*

Zum ersten Male sah Mortimer Angehörige einer Aktions-
gruppe. In einer leeren Wohnung eines sechzigstöckigen Apparte-
menthauses erwarteten ihn drei Leute. Der erste von ihnen war
ein Mann mit kurzgeschorenem Haar, der so brutal aussah, wie
sich Mortimer Revolutionäre vorgestellt hatte. Obwohl er nicht
groß wirkte, überragte er Mortimer um einen Kopf, und dieser
richtete sich unwillkürlich auf und biß die Zähne zusammen. Der
zweite lehnte an der Wand und trat nun vor, um Mortimer for-
schend mustern zu können. Er war etwa dreißig Jahre alt und
hielt sich etwas gebeugt. Dunkelbraune Locken fielen ihm in die
Stirn. Man hätte ihn für einen sensiblen Künstler halten können,
wenn nicht seine leicht zusammengekniffenen grauen Augen und
der schmale Mund diesen Eindruck sofort verwischt hätten. Der
dritte Verschwörer war ein blutjunges dunkelhaariges Mädchen.

»Er hat sich wie ein Idiot benommen«, sagte der Gedrungene,
der Mortimer hierhergebracht hatte.

Der Mann mit den Künstlerlocken blickte ihn nur fragend an.

»Zuerst hätte er fast einen Fremden auf sich aufmerksam gemacht, und dann schlich er hinter mir her wie der Detektiv in
einem Kriminalfilm. Ich bin froh, daß wir hier angekommen
sind, ohne geschnappt zu werden.«

Die drei betrachteten den Neuling schweigend.

Dann meinte der Braungelockte: »Niklas wird sich doch etwas
dabei gedacht haben, als er ihn bestimmte – oder?« Er wandte
sich an Mortimer. »Sei in Zukunft vorsichtiger! Wir können uns
keine Späße leisten. – Okay. Das ist Maida. Breber ist dir sicher
ein Begriff. Spencer kennst du schon. Und ich bin Guido.«

Breber war tatsächlich ein Begriff – der Begriff des Tapfersten
und des Unerbittlichen. Wo es riskant wurde, bei jedem wag-
halsigen Unternehmen, bei jedem lebensgefährlichen Coup war
er dabei. Seine Grausamkeit war sprichwörtlich – er schonte keinen Gegner. Seit er bei einer der jährlichen psychologischen Un-
tersuchungen als abnormal registriert worden war, befand er sich
ständig auf der Flucht. Mortimer sah ihn von der Seite her neugierig an, hütete sich aber, es zu auffällig zu tun.

Guido war der einzige, der ihm die Hand reichte.

»Was habe ich zu tun?« fragte Mortimer.

»Er kann es nicht erwarten, den Helden zu spielen«, warf Breber höhnisch ein.

»Wir müssen auf Niklas warten«, erklärte Guido.

Er trat zum Fenster und sah hinaus. Im Westen, wo die Sonne eben untergegangen war, türmten sich schon die Wolken des für die Nacht vorgesehenen Regens. Auf den Quadern der Hochhäuser lagen farbige Schatten, die nach Westen gerichteten Flächen waren orange bestäubt. Die Dunstglocke über der City war von einem ockergelb übertuschten Regenbogen begrenzt. Aus der Tiefe drang das Rauschen des einsetzenden Abendverkehrs.

Mortimer fühlte sich noch immer beobachtet, und um seine Befangenheit zu überwinden, begann er eine Erklärung zu stammeln.

»Ich freue mich, daß ich dabeisein darf.«

Der ablehnende Gesichtsausdruck Brebers irritierte ihn, und er wandte sich an Guido, der ihm immer noch den Rücken zukehrte.

»Ich müßte wissen, ich . . . Ich meine, ich habe wenig Erfahrung, aber ihr könnt euch auf mich verlassen. Ich verabscheue das Regierungssystem genauso wie ihr – ach, wie ich es hasse!«

»Das ist doch selbstverständlich, Kleiner«, warf Breber ein. »Ist das alles, was du zu bieten hast?«

Zum ersten Male meldete sich das Mädchen Maida.

»Laß ihn in Frieden!« forderte sie.

Guido drehte sich um und lehnte sich an die Fensterbrüstung. »Schluß mit dem Geschwätz!«

Nun schwiegen alle im Zimmer, bis ein Klingelzeichen wie ein Alarmsignal die Stille zerriß. Gespannt lauschten sie auf die Folge der langen und kurzen Töne, und dann eilte Spencer hinaus, um zu öffnen.

Mortimer hörte das Quietschen von Gummireifen auf dem glatten Styrosinboden, und gleich darauf erschien ein Rollstuhl mit einer in Decken gehüllten Gestalt, von der nur eine hohe

Stirn und ein schmallippiger Mund frei blieben. Die Augen waren hinter schwarzen Haftgläsern verborgen, Haftgläsern, die die Augäpfel völlig verdeckten. Mortimer fühlte sein Herz schlagen. Das war eines der legendären Oberhäupter der Organisation: der Chef der Gruppe Nord! Donnerwetter – sie mußten schon etwas Großes mit ihm vorhaben.

Spencer schob den Stuhl vollends in den Raum, und hinter ihnen kam noch ein magerer junger Mann, dessen Oberlippe ein wenig hochgezogen war, so daß es aussah, als fletschte er ständig die Zähne.

»Hallo, Niklas!« sagte Guido.

Der Mann im Rollstuhl rührte sich nicht – man konnte daran zweifeln, ob er gehört hatte. Dann machte er eine ungeduldige Handbewegung, und Spencer brachte ihn vor Mortimer.

Ohne Einleitung fragte der Blinde: »Was erhoffst du dir von unserer Organisation?«

Mortimer hatte den Eindruck, eine Prüfung bestehen zu müssen, aber trotzdem fühlte er sich erleichtert, denn diese Frage hatte er sich selbst schon tausendfach gestellt. Seine Wangen röteten sich.

»Sie muß die Menschheit retten! Wenn die jetzige Regierungsform nicht bald durch eine andere abgelöst wird, dann geht unsere Kultur endgültig unter. Die Vereinheitlichung, die Norm verschlingt die Persönlichkeit – der Mensch wird zum Herdenvieh. Man darf ihn nicht in der Masse ersticken lassen, man muß ihm Gelegenheit geben, wieder Individualität zu entfalten, Initiative zu zeigen. Die Organisation kämpft für eine bessere Welt. Das ist ihr Ziel!«

»Aber zunächst –«, begann Breber, doch unter einem Blick von Guido verstummte er.

»Mortimer hat recht«, sagte Niklas scharf. Er wandte den Kopf wieder zu Mortimer und schwieg eine Weile. Dann sagte er: »Wir kämpfen schon seit dreißig Jahren. Als du noch nicht geboren warst, mißlang unser Anschlag auf das Strategische Büro. Damals habe ich meine Beine verloren. Die Liberale Partei wurde verboten, aber sie bestand weiter – im geheimen. Wir warteten zehn Jahre, allerdings nicht tatenlos. Wir haben alle Vernünftigen um uns versammelt, die die ungeheure Gefahr erkannten, in der die Menschheit schwebt. Dann griffen wir die Wissenschaftliche Zentrale in Genf-Meyrin an; das Beraterteam der Regierung ist ihr eigentlicher Kopf. Auch dieser Überfall schlug fehl, und ich wurde gefangengenommen. Mit Drogen versuchten sie mich zum Verrat zu zwingen, doch ich nahm ein Gegengift. Dabei verlor ich mein Augenlicht, aber ich schwieg.« Niklas besann sich eine Weile, dann fuhr er fort: »Jetzt – nach weiteren zwanzig Jahren – erfolgt unser dritter Versuch. Inzwischen wurde die Regierung samt den wissenschaftlichen Beratern und dem OMNIVAC auf den Mond verlegt. So schwer war es noch nie. Aber wir haben keine Zeit mehr zu verlieren, verstehst du?«

Mortimer nickte, und Niklas sprach weiter.

»Es geht jetzt nicht mehr um einen politischen Umschwung, sondern um die Rettung der Welt. Nicht zuletzt geht es auch um das Andenken unserer geopferten, niedergemetzelten und in Lagern elend zugrunde gegangenen Kameraden. Uns von der alten Garde hat das Schicksal zu einer verschworenen Gemeinschaft zusammengeschweißt. Wir haben keine persönlichen Wünsche oder Gedanken mehr – alles gehört unserer Aufgabe. Und wer mit uns kämpft, muß ebenso fanatisch sein, ebenso hart, ebenso unerbittlich. Wirst du das können?«

»Ja!« antwortete Mortimer heiser.

Würde er es können? Er hatte den Willen dazu – und seine Überzeugung.

»Bist du bereit, alles aufzugeben – deine Verwandten, dein gewohntes Dasein? Bist du bereit, auch dein Leben einzusetzen und mit uns bis zum Ende zu gehen?«

Mortimer dachte an seinen Vater und dessen vergeblichen Kampf gegen die automatisierten Schulen, die Lernmaschinen, den programmierten Unterricht, die Informationspädagogik, er dachte an die alten Schriften von Körner und Petöfi, die er während des Unterrichts unter der Bank gelesen hatte, an seinen Freund Herwig, der Maler war und den sie wegen Nonkonformismus entpersönlicht hatten.

Er sagte: »Ja!« – nun im entschiedenen Ton der Sicherheit.

»Dann ist es gut. Ich vertraue dir«, sagte der Blinde. »Guido – stell die Verbindung her!«

Der Große trat an die Fernsehanlage und drückte einige Tasten. Es flimmerte hell über den Schirm, dann fügten sich die jagenden Streifen zu einem fleischigen, derben Gesicht.

»Cardini!« stieß Mortimer mit einem Würgen der Angst hervor.

Farbig und plastisch blickte der allmächtige Chef der Weltpolizei auf sie herunter. Hinter ihm war sein Sekretär Buschor zu erkennen.

Die Stimme Cardinis dröhnte aus dem Lautsprecher.

»Ist alles gut vorbereitet?«

»Bis ins kleinste Detail«, antwortete Niklas.

»Dann gebe ich das Zeichen zum Beginn! Führt euer großes Werk zum Gelingen – die Menschheit wird es euch danken. Ich wünsche euch alles Glück dieser Welt!«

Das Bild auf dem Sichtschirm zerfiel, Guido schaltete ab.

Mortimer hatte sich noch nicht von seiner Überraschung erholt.

»Cardini weiß alles?« stammelte er.

»Er ist auf unserer Seite. Ja. Diesmal haben wir den Trumpf in der Hand. Und du, Mortimer, kennst jetzt das große Geheimnis. Das ist der Beweis unseres Vertrauens.«

2

Guido selbst brachte ihn mit einem neuen batteriegetriebenen Cabrio an den Stadtrand, weit über den äußeren Gürtel hinaus, in ein seit langer Zeit geräumtes Vorortgebiet, in dem alte Ein- und Zweifamilienhäuser mit dazwischengeschachtelten unlizenzierten Bauten zu einem Labyrinth zusammengewachsen waren, dessen Unübersichtlichkeit jener der alten orientalischen Kasbahs aus den archäologischen Schutzgebieten nicht nachstand. Die Absperrung hatten sie ohne Schwierigkeiten passiert. Guido kannte eine Passage, die durch einen stillgelegten Entwässerungskanal führte, und im übrigen kümmerte sich die Polizei wenig um die Sperrzonen, solange dort keiner zu siedeln gedachte.

Sie kamen durch Garagen, Gartenhäuser, Kaninchenställe, in denen noch ein Anflug von Geruch nach Heu und Kot lag, schlüpften durch muffige Keller und schlichen an verrosteten Gitterzäunen, Stacheldraht und verfallenen Mauern vorbei. Überall wucherten verwilderte Begonien und Kletterrosen, Bohnen und Zierkürbisranken und vernetzten die Bauten zu einem Dschungel, durch den man sich nur mühsam zu zwängen vermochte. Endlich wies Guido auf eine Sanitätsbaracke, auf deren Dach noch die Umrisse eines roten Kreuzes zu erkennen waren.

Der alte Mann im schmuddeligen Zweireiher, der ihnen entgegentrat, kam Mortimer bekannt vor. Doch erst als ihn Guido begrüßte, fiel ihm ein, wo er dieses eckige Gesicht mit dem unsteten Blick schon gesehen hatte: auf den Fotos in den Gerichtsreportagen der Zeitschrift »Crime and Sex«. Es hatte da einen Prozeß gegeben, in dem der Neurologe Dr. Prokoff angeklagt war, Verbrechern durch Gehirnübertragungen zu andern Körpern verholfen zu haben, um sie der Gerechtigkeit zu entziehen.

»Verdammt, warum laßt ihr mich so lange warten?« fragte der Arzt und schob Guido und Mortimer in ein Wartezimmer. »Hast du den Paß und das Geld?«

Guido klopfte auf seine Brusttasche.

»Klar! Doch das erledigen wir später. Und wie steht's bei dir? Ist alles vorbereitet?«

Der Arzt drückte Mortimer einen Rasierapparat in die Hand, zog einen Vorhang von einer Waschnische und schob das Filter von der Radiumlampe zurück. Der bleihaltige Fluoreszenzstoff goß sein grünliches Licht aus.

»Ab mit der Lockenpracht!« befahl er.

Mortimer sah sich nach Guido um, der ihm zunickte und die Achseln zuckte. Bevor ihn das Surren der Schneideräder von den Geräuschen der Umgebung abschnitt, hörte er noch, wie Dr. Prokoff sagte: »Ich bin soweit. Der Fremde liegt schon seit Vormittag im Hinterzimmer. Aber es ist das letztemal – das kannst du deinen Kollegen ausrichten!«

Als der letzte Streifen der schwarzen Haarsträhne gefallen war, trat Mortimer wieder zu den anderen. Ihm war, als hätte er schon einen Teil seiner Persönlichkeit aufgegeben. Der Arzt fuhr mit der Hand prüfend über den kahlen Schädel, von dem nur mehr ein Anflug von winzigen Borsten abstand.

»Darf ich erfahren, was ihr vorhabt?« fragte Mortimer.

»Für deine Aufgabe brauchst du eine gute Tarnung«, erklärte Guido. »Gib dich zunächst damit zufrieden.«

»Tarnung!« sagte Dr. Prokoff mit einem hämischen Unterton. »Weiß er nicht, was ihm bevorsteht?«

»Kümmere dich nicht drum«, entgegnete Guido scharf. »Fang endlich an!«

»Dann kommt!«

Sie traten in einen Behandlungsraum, der eher einem elektrischen Rechenzentrum glich. Eine umfangreiche Schalttafel mit mehreren Oszillographenschirmen bildete eine Barriere in der Mitte des Raumes, dahinter standen zwei Gerüste, von denen mehrere Bündel von metallumsponnenen Leitungen wegführten. Über dem Kopfende zweier Liegen, an Stativen befestigt, saßen Metallhauben, aus denen Flügelschrauben herausragten.

Dr. Prokoff legte den Hauptschalter herum, eine Pumpe begann leise ächzend zu arbeiten. Dann verschwand er in einem Nebenraum und erschien kurze Zeit später, ein Rollbett vor sich herschiebend. Darauf lag eine bewegungslose mit einem Laken bedeckte menschliche Gestalt. Der Neurologe hob es ein wenig, und Mortimer erblickte das lange, magere Gesicht mit der hohen Stirn und dem mattblondem Haar, das locker wie Schaum war.

Guido ließ den Blick abschätzend zwischen dem Ohnmächtigen und Mortimer hin- und herwandern.

»Gänzlich verschiedene Typen«, bemerkte er.

»Glaubst du noch an Kretschmer?« fuhr ihn der Gehirnchirurg an. »Hauptsache, die Ruhefrequenzen und die Modulationskoeffizienten der Gehirnströme sind gleich. Da macht mir niemand etwas vor. Von allen, die ich geprüft habe, kommt kein anderer in Frage.«

Er nahm den Rasierapparat, trat an den Fremden heran und schnitt ihm die Haare ab.

»Hättest du das nicht schon lange machen können?« fragte Mortimer.

»Das Zeug wächst zu schnell nach«, antwortete Dr. Prokoff. »Wenn du willst, daß es schneller geht, dann hilf mir lieber.« Er warf Guido den Batterierasierer hin und wandte sich wieder seiner Schalttafel zu.

Mortimer fühlte den Blick Guidos auf sich ruhen: kühl, ein wenig mitleidig und ein wenig verächtlich. Und zum ersten Male erlosch das Gefühl des Stolzes in ihm, jedoch im selben Maße wie sein Sendungsbewußtsein nachließ, wuchs atemberaubend die Angst aller Geschöpfe in ihm auf, die erkennen, daß sie in eine Falle geraten sind, aus der es kein Entrinnen gibt.

Dr. Prokoff musterte ihn kurz und legte den Handrücken auf seine Stirn. Sie war von feinen Schweißtröpfchen benetzt. Er langte nach seinem Gelenk, fühlte den Puls . . . »Er hat Fieber«, konstatierte er.

Guido hielt mit seiner Arbeit inne und trat näher. »Unsinn! Er hat bloß Angst!«

»Das ist genauso schlimm! Er muß völlig ruhiggestellt sein – das weißt du so gut wie ich!«

»Gib ihm eine Spritze!« forderte Guido.

»Zu spät!« gab Prokoff lakonisch zurück.

Guido legte Mortimer die Hände auf die Schultern. Er blickte wieder wohlwollend.

»Was ist mit dir los, Junge? Fühlst du dich nicht wohl?«

Mortimer hatte Mühe, das Zucken in seinem Gaumen zu unterdrücken.

»Wollt ihr wirklich . . . eine Gehirnübertragung . . .«

»Was bedeutet es schon?« fragte Guido. »Das Gehirn ist völlig unempfindlich gegen Schmerz. Du spürst also nichts, dir ist, wie wenn du träumst, und dann wachst du auf – und bist ein anderer! Wovor hast du Angst?«

»Ich glaube, ich ertrage es nicht!« flüsterte Mortimer.

»Aber du hast Niklas dein Wort gegeben! Noch vor einer Stunde wolltest du alles opfern – alles was du hast, auch dein Leben!«

»Werde ich mich . . . ich meine: Werde ich noch ich selbst sein?« Guido blickte zu Dr. Prokoff hinüber.

»Wird er noch er selbst sein?«

Der Arzt wandte sich ab.

»Was interessiert mich das? Ich stelle die Synchronisation ein, die Fokussierung auf die Synapsen – das ist alles, die Übertragung des Speicherinhalts geht automatisch.«

»Aber wie war das bei Ihren anderen Patienten?« fragte Mortimer. Er schluckte heftig.

»Die haben eine reine Übertragung bestellt – das heißt, ich transferiere die in der Hirnrinde gespeicherte Information – nicht vielleicht das Gehirn selbst, wie manche meinen. Die tieferen Schichten bleiben unberührt – sonst gibt es Kreislaufstörungen, Fehlreflexe und so weiter. Ihr aber wollt doch . . .«

»Schluß jetzt!« unterbrach Guido. Sein Gesichtsausdruck hatte sich in eine Maske des Widerwillens verwandelt.

»Willst du, oder willst du nicht?« zischte er ganz nahe vor Mortimers Augen. »Hast du alles vergessen? Du wolltest doch die Menschheit retten – oder nicht? Wo hast du deine Ideale gelassen? Menschenwürde, Freiheit, Individualität? Denkst du nicht mehr daran, was wir alle geopfert haben? Weißt du nicht mehr, was mit Herwig geschah? Gilt dir das Lebensziel deines Vaters nichts mehr?« Er schüttelt Mortimer heftig. »Nun!« schrie er.

»Ich . . . will es tun«, keuchte Mortimer, ohne sein Schluchzen unterdrücken zu können.

»Also!« herrschte Guido und gab dem Arzt ein Zeichen.

Dieser schüttelte den Kopf. »Ein Gehirn im Zustand der Ruhe, verstehst du das nicht? Keine Gemütsbewegungen, die Z-Schleife unter dem Nullpegel! Ich habe genug, ich gehe!« Er griff nach dem Hauptschalter.

»Halt!« rief Guido. Plötzlich hatte er eine Gammapistole in der Hand. Er ließ den Arzt nicht aus den Augen. Mit der Linken zog er ein Schächtelchen aus der Jackentasche. Er zerdrückte die Papierhülle, nestelte eine zellophanüberzogene Pille heraus, und drückte sie Mortimer in die Hand. »Nimm sie ein, aber schnell!« Mit dem rechten Ellbogen wies er zu den Rollbetten. »Leg dich hin!« Er wartete, bis Mortimer gehorcht hatte. Dann drehte er sich zum Arzt und befahl: »Anfangen!«

3

Der Regierungssitz auf dem Mond war eine Welt für sich. Von einer undurchsichtigen und strahlenhemmenden Kunststoffpyramide umschlossen, lebte da eine ganze Stadt, die zwar noch auf die Versorgung von der Erde angewiesen war, sich aber heftig bemühte, mit den modernen Mitteln der Wissenschaft alle Bindungen abzustreifen. Polyploide Algenrassen lieferten Nährstoffkonzentrate, Wachstumshormone steigerten die Erträge der hydroponischen Gärten, isoliertes Muskelgewebe von Ferkeln und Kälbern wurde durch eigens gezüchtete Viren zum Wuchern gebracht. Die Energieversorgung war erst recht kein Problem – der Atomreaktor brauchte nie auf voller Leistung zu laufen, und die Plutoniumvorräte reichten Jahrhunderte. Von der Spitze der Pyramide schien eine künstliche Sonne herab – ein kleiner Transformationsreaktor zur direkten Umwandlung von Kernenergie in Licht, dessen Steuerstäbe von einer Automatik im Rhythmus von Tag und Nacht ein- und ausgeführt wurden. Keiner der zehntausend Bewohner bekam die Erde zu Gesicht, wenn er nicht gerade eine Urlaubsfahrt unternahm oder zu den Wissenschaftlern gehörte, die die Krater durchforschten oder mit ihren Fernrohren und Radarteleskopen in den glasklaren Raum hinaustasteten. Und ebensowenig sahen umgekehrt die Bürger des allumfassenden Weltstaates ins Innere der Regierungsstadt, von wo über ihr Geschick entschieden wurde. Und doch war dafür gesorgt, daß sie ihre Regierung nicht vergaß – von den Ecken der dreiseitigen Pyramide strahlten tagaus tagein das rote, das blaue und das grüne Licht als Symbol der Einheit aller Rassen, und unsichtbar, über die Amplituden der niederfrequenten elektromagnetischen Wellen, strömten Informationen hin und her, pulsierten Anordnungen und Vollstreckungsmeldungen.

Drei Wochen befand sich Mortimer nun schon in der Pyramidenstadt. Es war eine Zeit der Vorbereitung, des Eingewöhnens, der Vergewisserung. Aber es hätte dieser Vorsichtsmaßnahme nicht bedurft – sein Gedächtnis wies keine Lücken auf. Mit der Sicherheit eines Schlafwandlers benutzte er die leitschienengesteuerten Sitzroller, fuhr er mit den Lifts auf und nieder, wanderte er durch die endlosen Gänge. Er kannte den Grundriß der Stadt, den Halbkreis des Wohnbezirks, die Fabrikanlagen gegenüber, den äußeren Sicherheitsgürtel, den Ring der Gärten mit ihren Trikodylenfarnen, und schließlich natürlich den glasumschlossenen Block der Zentrale. Dort ging er ein und aus, als wäre es nie anders gewesen – und in gewissem Sinn traf das auch zu. Ein Planungsstratege, der auf Erdurlaub fährt und vier Wochen später gut ausgeruht zurückkommt – nichts weiter. Er besaß die Fingerabdrücke Stanton Baravals, das Irismuster, das Blutbild, und er passierte die Sperren mit einem echten Ausweis. Sein kurzgeschnittenes Haar – wer sollte sich Gedanken darüber machen? Er besaß vor allem die Kenntnisse und Erinnerungen. Am Anfang hatte ihn oft ein Schreck durchzuckt, wenn er plötzlich angesprochen wurde, wenn jemand Extrapolationskoeffizienten forderte, oder den Termin des nächsten Kegelwettkampfs. Dann aber antwortete etwas aus ihm heraus, ruhig und überlegen, geduldig, manchmal auch ironisch-heiter. Die schlimmsten Augenblicke erlebte er nicht in der Gesellschaft der anderen,

sondern abends, wenn er allein war, in der Stille der schall-
sicheren Schaumstoffwände seines Appartements, in den Minuten
vor dem Einschlafen, wenn alles getan war, was getan werden
mußte. Dann stiegen die Gefühle eines Toten in ihm empor, der
gar nicht so tot war, wie er geglaubt hatte, fremde Wünsche stießen an seine eigenen, unbekannte Stimmungen vermischten sich
zu einem widerspruchsvollen schizophrenen Ganzen, das ihm
selbst unheimlich war und ihn doch beherrschte. Er ertappte sich
dabei, daß er Dinge guthieß, die er bisher verabscheut hatte, daß
ihn Regungen überfielen, die Verrat an seinen Idealen waren,
daß etwas Mächtiges in ihm flüsterte, das sich nicht zum Schweigen bringen ließ und ihm Angst bereitete.

Seine einzige Verbindung zur Organisation war Maida.

Maida war schon vor zwei Jahren als Stewardeß in den Pas-
sagierdienst zwischen Erde und Mond eingeschleust worden;
trotz Robotbediensteten waren menschliche Betreuerinnen im
Flugdienst gesucht. Er und sie hatten ein Zusammentreffen ar-
rangiert, das nach außen hin völlig zufällig wirkte, und waren
von da an oft ganz offen beisammen gewesen.

Als Maida in dieser Nacht, zu einer Zeit, zu der sie sich bisher
zu trennen pflegten, vorschlug, einen Spaziergang in den Gärten
zu machen, wußte Mortimer, daß seine Ungeduld nicht mehr
lange andauern würde. Der so lange geplante Anschlag erschien
ihm als das Ereignis, das das Netz seiner Skrupel zerreißen
würde.

Bisher hatten sie kein verfängliches Wort gesprochen. Es war
damit zu rechnen, daß es hier von Geheimpolizisten wimmelte,
daß an allen möglichen Stellen Abhörmikrophone und getarnte
Beobachtungsschirme angebracht waren, genausogut war es möglich, daß alle derartigen Befürchtungen völlig grundlos waren
und sich die Regierung in Sicherheit wiegte, aber die Verschwörer mußten nun einmal stets auf der Hut sein. Maida hakte sich
bei ihm ein, und so schlenderten sie über die Bimssteinkachel der
gewundenen Wege, zwischen den neugezüchteten farnähnlichen
Sträuchern hindurch, die fast die gesamte Lufterneuerung der

Stadt bewältigten. Man spürte den Sauerstoffreichtum am Atem
– jede Lunge voll war ein belebendes Elixier. Die in den Sand
eingespritzten Schaumstoffflocken waren feucht und mit einge-
schleppten Grünalgen bedeckt, die ein Graspolster vortäusch-
ten. Durch den alles durchdringenden Geruch des fäulnisverhü-
tenden Chinosols drang der Anflug eines schweren Duftes nach
Forsytien und Harz.

Maida drehte den Transistorempfänger an ihrem Armband
auf. Schmeichelnde Musik ertönte. Die künstliche Sonne war auf
Mindestbeleuchtung eingestellt und verbreitete nur einen schwachen grünlichen Glanz, der wie Schimmel auf den Blättern lag.

»Jetzt können wir sprechen«, sagte Maida. »Der Apparat gibt
intensiven Ultraschall ab. Sollte uns jemand mit einem Schall-
fokus verfolgen, dann versteht er nichts.«

»Ist es nicht gefährlich, einen solchen Störgenerator zu besitzen?«

»Der Apparat ist so gebaut, daß man es als einen zufälligen
Fehler ansehen muß«, sagte Maida. »Doch wir wollen unsere
Zeit nützen. Gib acht! Der Befehl zum Handeln ist gekommen.
Du hast folgendes zu tun. Das erste ist die Zerstörung des
OMNIVAC-Gedächtnisses. Du weißt, daß darinnen alle Informationen gespeichert sind, auf die die Regierung ihre Macht
stützt. Du verwendest dazu einen Ionisator, den du in den Luft-
versorgungsschacht des Speicherkellers einbringst. Mit ihm wird
die Luft leitend gemacht. Die statistisch verteilten Ladungen depolarisieren die molekularen Speicherzellen.«

»Woher bekomme ich den Ionisator?«

»Er wird als Elektronenschweißgerät getarnt. Mit einer normalen Sendung von Werkzeugen kommt er in die Zentrale. Die
Veränderungen sind mit Kunststoff und Stromleitröhrchen vorgenommen, so daß die Röntgenkontrolle nichts merkt.«

»Wie erkenne ich das betreffende Gerät?«

»Wir haben einen Mann bestochen, der es untertags zu Re-
paraturarbeiten an der Glaswand mitnimmt und abends liegen
läßt. Komm, ich zeig dir die Stelle!«

Maida sah sich vorsichtig nach allen Seiten um. Sie schienen weit und breit die einzigen Menschen zu sein. Rasch zog sie Mortimer vom Weg in die bepflasterte Fläche hinein. Der Schaumstoff unter ihren Füßen verschluckte jedes Trittgeräusch, und bald standen sie an der Glasbegrenzung. Wie eine geheimnisvolle Burg lagen die kubischen Klötze der Laboratorien und Programmierungshallen vor ihnen, mit Grün übergossen, kristallen glänzend, an der Seite die Kuppel, unter dem das Gehirn des Ganzen, der hausgroße Computer OMNIVAC seine ununterbrochene Wacht hielt, daneben der fensterlose Gefängnistrakt, in dem die politischen Gefangenen auf das Urteil warteten. Meist lautete es: Entpersönlichung.

Maida deutete auf einige matte Stellen in der Glasfläche vor ihnen.

»Hier ist eine Reparatur fällig. Merk dir die Stelle! Morgen mußt du sie von innen finden. Hier, unter diesem Stapel von Bohrbolzen wird das Schweißgerät liegen.«

Mortimer hob warnend die Hand.

»Ein Posten! Weg von hier!«

Im Inneren näherte sich ihrem Platz ein Mann mit einer Gammapistole.

Maida hielt Mortimer zurück.

»Vielleicht hat er uns schon geortet! Wir müssen bleiben!«

Sie legte sich auf den Boden und zerrte Mortimer zu sich herab.

»Küß mich!«

Mortimer tat so, als ob er sie liebkoste, dabei schielte er nach dem Mann jenseits der Glasfläche.

»Vielleicht haben sie ein Alarmsystem?« flüsterte er.

Maida legte die Arme um ihn.

»Tu, als ob du ihn nicht bemerkst!«

Der Posten ging jetzt langsamer, blieb schließlich stehen. Vorgebeugt stand er da, die Pistole im Anschlag.

Mortimer wagte den Kopf nicht mehr zur Seite zu drehen, aber er hörte jetzt ganz nahe das Knirschen von Schritten. Sein

Herz schlug. Er küßte Maida auf die Wangen, auf den Mund, auf den Hals. Seine Hände streichelten ihren Nacken. Jenseits der Wand war es still – eine endlos lange Zeit hindurch. Dann waren wieder Schritte zu hören, zuerst laut, bis sie schließlich verklangen.

Mortimer hielt Maida noch immer an den Schultern fest. Er kniete neben ihr. Sie schauten durch die Wand und sahen den Wachtposten weit entfernt langsam weitergehen.

Maida hörte das heftige Atmen des Mannes, spürte die Hände, die sich an ihr festklammerten. Sie strich ihm über das lockere Haar und stand auf.

»Keine Gefahr mehr«, sagte sie.

4

Den Vormittag des nächsten Tages verbrachte Mortimer bei einer Diskussion über den Antrag, Stierkämpfe wieder zuzulassen – gleichsam als Ventil des unterdrückten Aggressionswillens. Es gab mehrere Pausen, während der OMNIVAC die eingesparten Kosten von Gerichtsverfahren, Gefängnisraum, Aufsichtsmaßnahmen und so fort gegen Ausgaben für die Organisation der Wettkämpfe abwog und den Aktivitätsmodul gegen das Absinken des Unruhepegels in Rechnung stellte.

Währenddessen fand Mortimer Zeit, um nachzudenken. Seit drei Wochen hatte er den Tag herbeigesehnt, an dem das Warten zu Ende sein würde, und sich davon sein inneres Gleichgewicht zurückerhofft. Er hatte sich nicht einmal getäuscht: In der Tat bereitete ihm sein Auftrag keine Skrupel mehr – der Befehl war erteilt, und die vorgesehenen Schritte würden nun gleichsam automatisch vollzogen, wobei er nur das Werkzeug war.

Aber die gestrige Nacht hatte ihm mehr gebracht als nur das Signal zum Aufbruch. Als er das Mädchen in seinen Armen gehalten hatte, war wieder eine Schleuse gebrochen, die ihn vor der Gedankenwelt des anderen geschützt hatte. Empfindungen

überfielen ihn, die er bisher nicht gekannt hatte, die er beiseite-
geschoben hatte, die ihm nichts gegolten hatten vor dem über-
mächtigen Wunsch, seine schwachen Kräfte in den Dienst von
etwas Großem zu stellen. Und das hatte sich jetzt geändert, ein
Gleichgewicht war verschoben . . .

In der Mittagspause verließ er das Regierungsgebäude und
fuhr zum Raumflughafen hinaus. Eine Rakete wurde zum Start
vorbereitet, Scharen von Urlaubern und deren Angehörigen,
Polizisten und Flugtechniker liefen in ameisenhafter Geschäftigkeit durcheinander. Dieses Schiff würde auch Maida mit sich
fortnehmen. Sie hatten alles besprochen, was zu besprechen war,
aber Mortimer mußte sie noch einmal sehen.

Da er sie nicht über den Lautsprecher ausrufen lassen wollte,
erwartete er sie am Personaleingang. Er sagte einige belanglose
Worte, und Maida antwortete in gleicher Weise. Sie schlenderten durch die Kunstglasröhre des Druckgangs zur Aussichts-
galerie. Vor ihnen breitete sich die Staubebene des Kraters aus.
Gegen Westen war sie von glasigen Krusten überzogen – das war
der Landeplatz der Fernraketen, die vom Mars und von der
Venus kamen. Die Insassen, die zur Erde wollten, stiegen hier in
die Fährschiffe um. Einige Männer in Raumanzügen arbeiteten
weit draußen – man konnte nicht erkennen, woran. Sie erschienen winzig klein und sahen fremdartig wie Insekten aus. Dort,
wo die Hänge des Kratergebirges anzusteigen begannen, lag die
große Werft. Die Nadeln einiger Raketen, von der streifend einfallenden Sonne grell beleuchtet, stachen in den schwarzen Himmel.

Vor der linken unteren Sesselreihe der Aussichtsrampe stand
ein Tankschlepper, in den aus einer Zapfsäule verflüssigtes Gas,
wahrscheinlich Wasserstoff, gepumpt wurde. Das Rauschen der
aufsteigenden Dämpfe war zwar nicht zu hören, aber das Zittern pflanzte sich durch den Boden fort und füllte die Halle mit
einem dumpfen Röhren.

Der Lärm gab den beiden Gelegenheit zu ein paar offenen
Worten.

»Wie konntest du so unvorsichtig sein? Wir machen uns verdächtig!« flüsterte Maida.

»Du meinst, sie lassen uns beobachten? Nach dem, was gestern geschehen ist, wäre es viel verdächtiger, wenn wir nicht mehr zusammengekommen wären.«

Maida blickte ihn nachdenklich an.

»Vielleicht hast du recht. Also, was willst du? Ist noch etwas unklar?«

»Ich wollte dich noch einmal sehen«, antwortete Mortimer. Die sinkende Sonne beleuchtete Maida durch einen Nebel aus Wasserstofftröpfchen hindurch und zeichnete ihr Gesicht ungewohnt weich. Ihre Wimpern waren lange, gekrümmte Schatten, und ihre Augen glänzten feucht.

»Was ist mit dir?« fragte sie. »Es geht doch nur um eins – um den Auftrag. Wir brauchen keine Zentralregierung und keinen Befehle gebenden Computer. Wir brauchen keine Ärzte, die uns vorschreiben, wie lange wir leben dürfen und von wem wir Kinder bekommen. Auf die Nährtabletten, die Sportuniformen, die Badefeste und die Abenteuerfilme können wir verzichten – auf dieses widerliche organisierte Leben. Was wir brauchen, ist ein ruhiger Winkel, ein Häuschen, von mir aus eine Hütte, ein paar Blumen, Arbeit, Zusammensein mit Menschen, die wir mögen, ein Sonnenuntergang, eine stille Nacht. Dafür lohnt es sich zu kämpfen. Solange wir unser Ziel nicht erreicht haben, gibt es für mich nichts anderes. Nichts – das ist meine Meinung.«

»Du bist hart«, sagte Mortimer.

Sie schwiegen eine Weile und blickten hinaus in den Abend, der hier draußen eine Woche dauerte.

Dann sagte Mortimer: »Wie bist du zur Organisation gekommen?«

Maida zögerte kurz.

»Ich lebte mit einem Mann zusammen – heimlich, ohne Erlaubnis der Behörden. Vielleicht hast du seinen Namen schon gehört: Sergej Lementov.«

Mortimer erinnerte sich. »Der Mann, der Niklas aus dem

Straflager auf dem Ganymed befreit hat? Das war eine unglaubliche Geschichte!«

»Er war zweiundzwanzig, als ich ihn verlor«, flüsterte Maida. »Sie haben ihn erwischt – und entpersönlicht.«

»Wie lange ist es her – zwei Jahre?«

»Noch keine zwei Jahre.«

Mortimer trat an Maida heran und faßte nach ihrer Hand. »Ich kann dich verstehen«, flüsterte er.

Maidas Gesicht war wieder unbewegt.

»Ich führe seine Arbeit fort, so gut ich kann. Darum bin ich bei der Organisation.«

Mortimer stellte sich die ungeheure Einsamkeit eines Mädchens inmitten einer Gruppe von Fanatikern vor, und er empfand das Tragische dieser Situation, in der es sogar nötig war, jeden, selbst den ärmsten und schwächsten einzusetzen, wenn er nur bereit war, sich einsetzen zu lassen. Er konnte verstehen, daß sie das Werk ihres Geliebten fortsetzen wollte, und doch meldete sich zur gleichen Zeit eine Stimme, die rief: Niemand muß die Sicherheit zerstören, die Generationen aufgebaut haben, niemand muß das Elend wiedererwecken, das endlich beschworen ist. Aber seine Sympathie blieb schließlich stärker.

»Werden wir uns wiedersehen?«

»Wenn alles gelingt wie vorgesehen . . .«

Maida ließ die Antwort offen. Etwas in Mortimer lehnte sich auf. »Was habt ihr mit mir vor, wenn der Anschlag geglückt ist? Warum sagt man mir so wenig?«

»Sergej wurde verraten«, sagte Maida tonlos.

»Verraten?« Mortimer verstand erst allmählich, was sie damit sagen wollte. »Du meinst, ich könnte . . . habe ich nicht bewiesen, daß ich der Organisation gehorsam bin – bedingungslos? Und nun verdächtigst du mich als Verräter!«

Auf Maidas Gesicht erschien ein hartes Lächeln.

»Was glaubst du, wie schwach ein Mensch sein kann!«

Mortimer stand eine Sekunde erstarrt, dann drehte er sich weg, doch Maida berührte seinen Arm. Als Mortimer noch immer verletzt zurücksah, merkte er, daß sich ihre Miene völlig gewandelt hatte. Ihre Hand lag noch immer in seiner Armbeuge, und plötzlich hatte er seinen Ärger vergessen.

»Ja?« fragte er.

»Siehst du die Fernrakete dort drüben im Gerüst?«

Es war ein riesiges Modell, das er noch nie gesehen hatte, und offenbar völlig neu – sein elfenbeinfarbiger Kunststoffleib glänzte im harten Sonnenlicht.

»Es ist die Forschungsrakete einer Wissenschaftlergruppe«, erklärte Maida. »Sie ist startbereit.«

Mortimer zog die Brauen zusammen. »Was weiter?« fragte er.

»Nichts«, antwortete Maida. »Aber vielleicht erinnerst du dich gelegentlich daran.«

Mortimer nickte, ohne zu verstehen.

»Es ist am besten, wenn du jetzt gehst«, meinte Maida. »Sie fahren unsere Rakete schon hinaus. In acht Stunden ist sie wieder zurück – und ich mit ihr. Leb wohl!«

Der plumpe Körper des Passagierschiffs bewegte sich mit dem Startgerüst langsam und lautlos über die Schienen. Seine stumpfe Spitze glänzte matt, und Mortimer blickte unwillkürlich hinauf – blaß-blaugrün von einem Silberkranz gesäumt hing dort oben die mächtige Sichel der Erde, die lange Zunge Südamerikas war ihnen zugewandt, die Schatten der Anden gruben Abgründe in die gerunzelte Lederhaut, die sich über die Kontinente spannte. Die Erde ist den Einsatz wert, dachte Mortimer, jeden Einsatz.

»Eins möchte ich noch wissen«, flüsterte er, denn das Dröhnen wurde schwächer; man hätte sie belauschen können.

»Und das wäre?« fragte Maida.

»Als du gestern . . .« Mortimer stockte, »ich meine, als wir uns gestern küßten – an wen hast du gedacht: an mich oder an den anderen – an Baraval?«

»Was für eine sinnlose Frage!«

Sie winkte ihm zu und ging mit eiligen Schritten die Stufen hinauf. Durch die Bleiglaswände blickte ihr Mortimer nach, bis sie im Kassierraum verschwand.

5

Es war zwanzig Uhr. Mortimer saß an der Tastatur seiner Codiermaschine. Mit ihr wurden die Parameter der verschiedensten sozialen Daten in Binärzahlzeichen verwandelt und über die direkten Leitungen an den OMNIVAC weitergegeben, der sie nach den Instruktionen verarbeitete. Die Programme veränderte der Computer selbständig auf der Basis aller verfügbaren Informationen – die Gesetze wurden aufgrund umfassender Statistiken ständig präziser gefaßt, die Vergleichszahlen nach dem täglichen Eingang verbessert. Wo eine Störung des Gleichgewichts drohte, prüfte der OMNIVAC sämtliche möglichen Lösungsmaßnahmen, bestimmte jene mit dem besten Verhältnis von Aufwand zu Erfolg, schied die nach den juristischen, religiösen und ethischen Gesetzen unzulässigen aus und leitete dann eine Liste sämtlicher verbleibenden Maßnahmen an die einschlägige Abteilung. Die Auswahl aus dieser Liste war die eigentliche Arbeit der Regierung oder genauer der Fachabteilungen. Der Hauptausschuß, der die höchste Regierungsinstanz war, griff nur in die Entscheidungen ein, wenn sich ein Sachbearbeiter als unzuständig erklärte.

Mortimer hatte den Ionisator auf verhältnismäßig einfache Weise bekommen. Er hatte einen Montagewagen, eine fahrbare Automatik für leichtere Arbeiten, angefordert und bekommen – angeblich, um eine trüb gewordene Scheibe in seinem Arbeitszimmer auswechseln zu lassen. Das hatte er auch tun lassen, aber statt den Wagen gleich zurückzuschicken, hatte er die Verbindung zum OMNIVAC unterbrochen und ihn mit Fernsteuerung an die Glaswand geleitet. Als er den Ionisator besaß, versteckte er ihn im Kleiderschrank, stellte die Verbindung mit dem OMNIVAC wieder her und meldete dann einen vorübergehenden Stromausfall, für den natürlich keine Ursache gefunden wurde.

Mortimer stand auf und trat ans Fenster. Die künstliche Sonne arbeitete nur noch mit einem Viertel Leistung, trotzdem konnte man vom überhöhten Standpunkt des Strategischen Büros weit über die Stadt hinwegsehen, über die im aufkommenden Blauviolett giftig-grünen Farnwälder, zu den Wohngebieten, die sich kaum von jenen eines durchschnittlichen Vorortes in Amerika, Afrika oder Eurasien unterschieden. Wo der Mensch auftaucht, bringt er die Natur um und installiert die Requisiten der Vermassung und Vereinheitlichung, dachte Mortimer. Wo der Mensch auftaucht, bezwingt er das Chaos und bezieht neue Bereiche in seinen Lebensraum ein, sagte eine andere Stimme in ihm. Hinter ihm erklang das hektische Klappern des Schreibsystems.

Das größte Problem war es gewesen, den Vorwand für Überstunden zu finden. Da war ihm ein Problem vom Dringlichkeitsgrad drei gerade recht gekommen – das neue medizinische Verfahren der Gefäßregeneration schaltete den Herzinfarkt, die Arterienverkalkung und eine Reihe ähnlicher Krankheiten aus, und daher drohte die Bevölkerungsdichte wieder einmal rascher zu wachsen als die Effektivität der Leistungen; folglich galt es, einen Weg zu finden, um die allzu rasche Zunahme zu dämmen. Als Gegenmaßnahme war eine Erhöhung der kanzerogenen Substanzen im Zigarettenpapier oder ein halbprozentiger Zusatz an Methylalkohol bei allen alkoholhaltigen Getränken vorgeschlagen. Bei der Zentrale suchte er um Überstundengenehmigung an, und fünf Minuten später hielt er die Erlaubnis in Händen, sich bis zwei Uhr früh im Büro aufzuhalten. Alle Überwachungsorgane waren verständigt.

Nach einigem Überlegen trat Mortimer an die Ausgabe, riß den mit Zahlen bedruckten Streifen ab und warf ihn in den Müllschlucker. Er hatte Mühe, neue Aufgaben zu finden, für die selbst der superschnelle OMNIVAC mehr Zeit brauchte. Noch immer in Gedanken, setzte er sich an das Codierpult und ließ die Frage verschlüsseln, welche Auswirkungen ein gesteigerter Alkoholkonsum auf die Teilnehmerzahlen von religiösen Veranstaltungen haben würde. Er bekam die Antwort, noch ehe er sich vom Stuhl erhoben hatte. Das war es eben – der OMNIVAC verfügte über sämtliche Daten und konnte daher Wahrscheinlichkeitswerte mit kaum beachtenswerten Fehlerquellen von allem und jedem liefern. Es gab nichts, was sich nicht vorausberechnen ließ, und das war das Unerträgliche. Was der Mensch tun, ja selbst was er denken und fühlen würde, war bekannt, längst ehe es getan, gedacht oder gefühlt wurde; es war einkalkuliert, vorherbestimmt, manipuliert, und nirgends blieb Raum für eigenes Denken, eigene Verantwortung. Die Basis für diese Determiniertheit bis ins letzte war die Registratur des OMNIVAC, die Myriaden Daten, das statistische Material aus einer nie endenden Überwachung. Es gab keinen Zweifel – dieses seelenlose Gehirn mußte vernichtet werden. Ist es wirklich so? meldete sich wieder sein zweites Ich, alles hängt mit jedem zusammen, das Ganze beeinflußt den Teil, der Teil bestimmt das Ganze. Sind wir deshalb frei, wenn wir die Augen davor verschließen?

Mortimer schmetterte seine geballte Faust auf die Tasten mit den Buchstaben, Zahlen und Zeichen. Eine rote Mattscheibe mit der Aufschrift: Fehler! leuchtete auf. Er beachtete es nicht, sondern ging in den Waschraum und ließ kaltes Wasser über Gesicht und Hände fließen. Dann holte er den Ionisator aus dem Wandschrank. Bisher hatte er nichts mit Schweißgeräten zu tun gehabt, doch soweit er beurteilen konnte, sah das Gerät echt aus. Das war aber weiter nicht verwunderlich, denn soweit er sich erinnerte, waren die zum Schweißen verwendeten Elektronen Ladungen; ein Ionisator war aber auch nichts anderes als ein Gerät zur Produktion von Ladungen, obgleich gewiß mit weitaus intensiverer Wirkung.

Das Gerät hatte die Größe und die Form einer elektrischen Bohrmaschine, und Mortimer konnte es ohne Schwierigkeiten in einen Aufbewahrungskasten für Lochkarten unterbringen. Mit seiner getarnten Last machte er sich auf den Weg.

Im Bürogebäude hatte er nichts zu befürchten. In diesem Trakt, den er wie seine eigene Tasche kannte, durfte er sich ohne Bedenken bewegen. Erst als er im tiefsten Kellergeschoß den Lift verließ, bemächtigte sich seiner eine leise Unruhe. Hier war er noch nie gewesen; obgleich er den Bauplan des Regierungszentrums im Kopf hatte, erschien ihm die Umgebung fremd. Das tiefste Geschoß war der Wahrung der Lebensbedingungen gewidmet. Hier befanden sich sozusagen die Organe des großen Individuums, das aus Zellen bestand wie jedes andere Lebewesen. Von jedem Organ bestanden Verbindungen zu jeder Zelle. Verbindungen zur Versorgung mit gereinigter, richtig temperierter Luft und zum Absaugen der verbrauchten, Wasser- und Preßluftleitungen, Drahtstränge, durch die Meßergebnisse aus den Räumen liefen und in sie zurück, Luftfeuchtigkeit, Kohlendioxid- und Staubgehalt, Temperaturen.

Was in den Plänen als eine Reihe violetter, unscharf umrissener Rechtecke eingezeichnet war, entpuppte sich als Gewirr von stoßenden, dampfenden, zischenden und gurgelnden Ungetümen, Monstren aus Aluminium, Glas und Kunststoff. Mortimer blieb am Lift stehen und blickte umher. Die Tür schloß sich hinter ihm und schnitt ihn von der Außenwelt ab. Er geriet in Versuchung, den Rufknopf zu betätigen, aber er überwand sie und trat entschlossen in den Gang. Mühsam versuchte er sich zu orientieren – die Lufterneuerungsanlage mußte sich dort drüben befinden ... nein, eher dort ...

Er vergegenwärtigte sich den Plan, dann ging er in eine Gasse zwischen den Maschinen. Jäh fand er sich unter einer Haube aus Lärm und Halbschatten – die Leuchtwände verbreiteten nur ein schwaches diffuses Licht, das die Raumtiefe verwischte. Erst jetzt merkte er, daß er bisher konzentriert nach jedem Geräusch gelauscht hatte; von der Stille war eine beunruhigende Wirkung ausgegangen.

Er horchte in das Rauschen hinein und spähte in die dunklen Ecken; da ihm alles ungewohnt war, vermochte er nichts Verdächtiges festzustellen – ob nun etwas vorhanden war oder nicht. Trotz der vielerlei Geräusche bemühte er sich, leise aufzutreten, ja er schlich geradezu. Die Hand fest um den Griff des Kastens geschlossen, ging er weiter, oft zusammenzuckend vor einer jähen Bewegung eines Kolbens, vor einem Prasseln, das unangekündigt aus dem einen oder anderen Kessel drang.

Plötzlich blieb er erstarrt stehen – diesmal war es keine Täuschung, und darum gab es auch keine Unsicherheit mehr. An der linken Seitenwand glühte ein rotes Licht auf, erlosch, glühte auf ... Mortimer rannte einige Schritte in eine Seitengasse hinein, geduckt, mit eingezogenen Armen ... er blieb stehen, lauschte ... ohne Zweifel, er hörte den Lift! Ein schweres Gewicht saß in seinem Magen, machte ihn schwach. Er warf sich zwischen zwei Maschinen, zwängte sich halb unter ein dickes Rohr. Die preßluftbetriebene Schiebetür des Aufzugs fauchte ... etwas kam in die Halle – er fühlte es mehr, als er es hörte.

Etwas glitt zwischen den Maschinenreihen hindurch, blieb an der Mündung seiner Seitengasse stehen, bog ein ... ein Montagewagen! Das Gewicht in Mortimers Magen erleichterte sich – ein Montagewagen, das konnte keine Maßnahme der Polizei sein!

Aber er konnte ihn bemerken, seine Anwesenheit melden, ohne Verdacht natürlich, aber stur wie eben ein unintelligentes gehorsames Geschöpf ...

Der Wagen rollte an ihm vorüber, ohne ihn zu beachten. Am Ende der Gasse hielt er, streckte einen seiner künstlichen Arme vor, der aussah wie eine Prothese – statt der Hand steckte ein Schraubenschlüssel darin –, und mit einem kurzen Surren zog er eine Mutter an. Das Blinkzeichen an der Wand hielt inne, der Wagen rollte wieder an Mortimer vorbei, durch die Seitengasse, in den Mittelweg hinein, die Lifttür fauchte, das leise Schnarren des Aufzugs verlor sich in den anderen Geräuschen.

Mit einem erstickten Lachen in der trockenen Kehle erhob sich Mortimer, und ging nun, ohne nach rechts oder links zu schauen, an sein Ziel, den Luftverteiler. Es war eine riesige Apparatur, aus der Hunderte von kleineren und größeren Röhrenschlangen herausliefen, geordnet nach Raum und Zweck, aber doch wirr für den, der ihren Plan nicht kannte. Mortimer ging nach der Numerierung vor, und er fand bald die dicke Zuleitung, die in die Speicherhalle führen mußte. Jetzt arbeitete er entschlossen und zielbewußt. Er stellte die automatische Fehleranzeige ab und löste dann die Flügelschrauben, die ein Sichtfenster an der zwei Handspannen dicken Röhre festhielten. Vorsichtig löste er die Scheibe, merkte sich, wie die Dichtung befestigt war, und schob dann den Ionisator der Länge nach in den starken Luftstrom. Er stellte den Hebel auf volle Stärke, arretierte ihn, und preßte die Scheibe mit der Dichtung wieder an die Umrandung. Eilig zog er die Schrauben wieder an.

Es war höchst einfach gewesen – nur dadurch ermöglicht, daß niemand mit einer solchen Art des Anschlags gerechnet hatte. Mit einer gewaltsamen Besetzung, vielleicht auch mit einem Diebstahl geheimen Materials – das schon. Und dagegen war die Halle gesichert. Niemand konnte sie unbemerkt betreten; eine dreifache Sperre mit Kontrollautomaten, an denen jeder Besucher seine Legitimationen und Sondervollmachten vorzeigen mußte, sicherte sie. Normalerweise hatten dort jedoch Menschen nichts zu suchen.

Sie rechneten mit Gruppen, die die Regierungsgewalt übernehmen wollten, und dazu den Schatz an Informationen brauchten. Sie rechneten nicht damit, daß jemand auf die Macht verzichten wollte, daß jemand aus selbstlosen Motiven handeln würde. Sie hatten sich geirrt. Auch die Maschine hatte sich geirrt. Sie hatte den Egoismus der Menschen als Konstante in Rechnung gestellt. Das war ein Fehler, und dieser Fehler war ihr Untergang.

Mortimer sah sich um – nichts Verdächtiges weit und breit. Er hob seinen Tragbehälter auf und machte sich auf den Rückweg. Noch arbeiteten die Maschinen, der Strom mit Befehlen floß noch zum Sender, der sie auf die Erde, der sie lähmend ins Herz der Menschheit strahlte. Aber bald würde dieser Strom versiegen. Die Meldungen würden verwirrt, würden fehlerhaft, würden unsinnig werden, schließlich würden sie verstummen. Die Menschen würden wieder handeln ohne Zwang, in Freiheit.

Genußvoll malte sich Mortimer das Zerstörungswerk der Ionen in den winzigen Speicherelementen aus. Ein kaum vorstellbares, abstraktes Geschehen, zweifellos, aber doch von umfassender praktischer, lebensbestimmender Bedeutung. Er stellte es sich bildhaft vor: wie die Ladungen an die Moleküle prallten, sie aus ihrer Ruhelage stießen, sie anders orientierten, sie umpolarisierten. Er sah, wie aus geordneten Reihen ein tachistisches Durcheinander wurde, wie die Bits wechselten, die Matrizen zusammenfielen … Wer war es eigentlich, der das wußte – war es sein unabtrennbarer Gegner, der andere, der Versucher, Stanton Baraval? Meldete er sich diesmal nicht mit ethischen Bedenken zu Wort? Der Triumph trieb Mortimer Tränen in die Augen. Die Welt war gerettet! Diesmal wurde er mit allen Stimmen fertig.

Gerade als er den Lift betrat, begann eine Sirene zu heulen.

6

Mortimer hätte schon früher merken können, daß etwas nicht in Ordnung war, aber seine Begeisterung hatte ihn betäubt. Als er jetzt lauschend stehen blieb, hörte er laufende Schritte aus der Tiefe der Maschinenhalle, hörte Rufe, die von oben durch den Schacht herunterdrangen. Seine Hand hatte er schon zur Schalttafel erhoben, doch bevor sie die Sechzehn, die Nummer seines Stockwerkes, berührte, dirigierte er sie um, und unwillkürlich berührte er einen Knopf mit der Aufschrift DOWN. Noch ehe ihm der Kurzschluß dieser Handlung bewußt wurde – er befand sich im tiefsten Geschoß –, setzte sich der Lift in Bewegung: abwärts!

Es schien tiefer zu gehen als die drei Meter eines Stockwerks, dann hielt die Kabine, und die Tür glitt auseinander. Hier war es still. Erst als er das festgestellt hatte, trat er hinaus. Er wurde gewahr, daß er den Behältergriff noch immer umklammerte – nun setzte er den Kasten zwischen die Türhälften. Sie konnten sich nicht schließen, niemand konnte die Kabine nach oben holen – hier war der Weg etwaiger Verfolger abgeschnitten.

Mortimer sah sich um. Dieses Geschoß war in seinem Plan nicht eingezeichnet. Es mußte sich um den geheimsten Teil der Anlage handeln – und nur zwei Angaben hatte er im offiziellen Plan vermißt: die Büros der Geheimpolizei und die Sendeanlagen. Ein häßliches berstendes Geräusch störte ihn. Er konnte gerade noch sehen, wie sich die Tür zusammenschob und dabei den Behälter wie Sperrholz zerdrückte. Er hatte falsch kalkuliert; ohne Rücksicht darauf, daß sie noch nicht ganz geschlossen war, setzte sich die Kabine in Bewegung, wobei einige noch aus dem klaffenden Spalt heraushängende Blechteile am oberen Rand des Türrahmens abgeschert wurden.

Etwas war schiefgegangen. Etwas Unerklärliches, Unfaßbares war eingetreten und hatte den Anschlag vereitelt. Längst mußten sie auch den eingeschmuggelten Ionisator entdeckt haben – eine Störung im Luftkreislauf, erhöhte Temperaturen; im Alarmfall gewinnt alles ungewöhnliche Bedeutung, und sicher war schon ein Montagewagen dabei, das Gerät zu beseitigen. Mortimer war verzweifelt, aber nicht mehr aus Angst um sein Leben. Es war das Begreifen, daß wieder alles umsonst gewesen war.

Und dann durchfuhr ihn ein Gedankenblitz: der Sender! Der Sender war ein allergischer Punkt des Systems genauso wie der Speicher, wenn auch nicht so empfindlich wie dieser – einen Sender konnte man wieder aufbauen, während zerstörte Informationen unwiederbringlich verloren waren. Aber vielleicht genügte es, ein wenig Luft zu schaffen, vielleicht brachte selbst eine vorübergehende Befreiung von der Befehlsgewalt die Regierung zum Sturz. Hatten die Menschen erst das Gefühl der Freiheit verspürt – vielleicht kam es dann von selbst zu einer Erhebung! Den Sender zerstören – vielleicht hatte er das Schicksal noch in der Hand!

Er vermutete, daß der Sender im Mittelpunkt der Mondstadt lag, in gleichen Entfernungen von den Richtantennen an den Dreieckspitzen der Pyramidengrundfläche, und deshalb wandte er sich nach rechts. Bei seinem Vorhaben mußte ihm zugute kommen, daß das Regierungssystem auf eine Mindestzahl von Menschen aufgebaut war – die meisten Funktionen oblagen den Computern oder computergesteuerten Apparaten, den Robotern, wenn man sie so nennen wollte. Diese waren überall, aber es bedurfte des Befehls der höchsten Regierungsstellen, die Sperren aufzubauen, die sie gewöhnlich daran hinderten, Menschen anzugreifen.

Mortimer war auf gut Glück vorwärtsgestürmt, und er nahm es als Bestärkung seines Vorhabens, daß er offenbar die kürzeste Strecke zu den Sendeanlagen gefunden hatte – nun wiesen ihm einige Aufschriften, wenn es auch nur Abkürzungen und Symbole waren, den Weg.

Und da leuchtete auch schon die Tafel: SENDEZENTRALE! ABSOLUTE RUHE! Mortimer riß die Tür auf. Ein einzelner Mann stand mit dem Rücken zu ihm an der Schalttafel. Als er sich erschreckt umdrehte, sah sich Mortimer nach einer Waffe um, und er faßte nach einem kleinen Mikrophonstativ mit bleibeschwertem Fuß. Doch er ließ seine Hand wieder sinken – der Mann war Guido.

»Was willst du hier?« fragte dieser und kam drohend auf Mortimer zu. »Hier hast du nichts zu suchen, das gehört nicht zu deiner Aufgabe!«

»Der Anschlag ist fehlgeschlagen! Es wurde Alarm gegeben«, keuchte Mortimer. Nun packte er endlich das Stativ und lief auf einige große Senderöhren zu. »Wir müssen den Sender zerstören!«

»Halt, warte!« schrie Guido. Mortimer hatte sein Werkzeug der Zerstörung gehoben, um es auf die Röhren zu schmettern, doch Guido fiel ihm in den Arm.

»Laß mich, es ist die einzige Rettung!«

Verzweifelt suchte Mortimer sich zu befreien.

»Du bist wahnsinnig!« schrie Guido. Er hatte Mortimer umklammert und versuchte ihm das Stativ zu entwinden. Zwar war er nicht stärker, aber er kannte einige Tricks, und durch einen schnellen Hebelgriff an Mortimers Arm zwang er ihn schließlich, es fallen zu lassen.

Vom Gang draußen näherte sich Gepolter.

»Hast du denn noch immer nicht begriffen?« fragte Mortimer. »Höchstwahrscheinlich ist unser Anschlag auf den Speicher mißglückt. Aber wenn wir den Sender zerstören ... Halt mich nicht auf, Guido, hilf mir lieber!«

Der andere hatte ihn losgelassen, aber er hatte den Fuß auf das am Boden liegende Stativ gesetzt. Mortimer lief zu den großen ruhig glimmenden Röhren, als wollte er sie mit den bloßen Fäusten zertrümmern.

»Du bist es, der nichts begreift!« sagte Guido. Er sprach jetzt schnell, in überredendem Ton. »Du bist in Panik geraten, und treibst Unsinn. Der Plan ist hundertprozentig, alles ist einkalkuliert. Wir brauchen den Sender. Und jetzt lauf davon, sonst verrätst du mich noch! Du hinderst mich an meiner Aufgabe.« Er schob Mortimer durch eine schmale Seitentür, die sofort hinter ihm zufiel. Einen Moment stand Mortimer still, aber er kam nicht zum Überlegen. Schon wurde die Tür wieder aufgerissen und eine ganze Schar von Montagewagen mit ausgefahrenen Greifzangen rollten hintereinander durch.

Die Halle, in der er sich befand, mußte eine Art Film- und Tonarchiv sein, denn auf bis zur Decke reichenden Regalen lagen aufgestapelte Film-, Ampex- und Tonbandrollen.

Mortimer konnte keinen Ausgang entdecken, und die Furcht, in eine Falle geraten zu sein, wirkte sich auch als körperlicher Schmerz, als Krampf in den Eingeweiden, aus. Mühsam überwand er die Panikstimmung. Er rannte los, sich an der Wand haltend, um vielleicht doch eine Tür zu entdecken, hinter ihm wie eine Meute Hunde die Wagen. Also hatten sich doch schon die höchsten Stellen eingeschaltet!

Noch vermochte Mortimer ein rascheres Tempo zu halten als seine mechanischen Verfolger, aber diese ermüdeten nicht, während der Mensch einen 100-Meter-Sprint nicht auf die Dauer durchhalten kann. Mortimer riß im Vorüberlaufen ganze Stöße von Rollen um und zwang die Cars zu Umwegen, aber sie kamen doch bedrohlich näher.

Fieberhaft zermarterte er sich den Kopf nach einem Ausweg, und mit einem Male merkte er, daß er trotz allem ruhig und konzentriert zu denken vermochte. Eigentlich sind die Cars geistig und körperlich beschränkte Gebilde. Wenn sie auch in Funkverbindung mit dem OMNIVAC standen – und das war sicher der Fall –, dann verfügten sie zwar über dessen unübertreffliche Intelligenz, aber diese konnte auch nicht besser arbeiten, als es ihr die gelieferten Informationen erlaubten. Die Cars aber waren eigentlich blind – sie »sahen« so wie die Fledermäuse in den Höhlen, mit Ultraschall, den sie aussandten, mit dem sie die Umgebung abtasteten und dessen Echos sie registrierten. Aus der spektralen Verbreiterung ihrer Wellenlänge konnten sie außerdem noch die Temperatur des anvisierten Gegenstandes feststellen und daran beispielsweise Menschen erkennen.

Darauf baute Mortimer seinen Trick: Er streifte im Laufen die Jacke ab, hängte sie hastig über eine Stehleiter, die er den heraneilenden Wagen in den Weg stellte, und hatte Genugtuung zu sehen, wie sie sich auf das Kleidungsstück stürzten, das noch die Körperwärme des Flüchtenden trug, wie sie sich darum herum ineinanderverkeilten, wie sich die Zangenbacken in den Stoff gruben.

Es war nur eine Atempause, aber Mortimer nützte sie. Am jenseitigen Ende des Ganges befand sich ein Durchgang, und er schlüpfte rasch hindurch. Verzweifelt stellte er fest, daß sich die Cars schon wieder an seine Verfolgung machten. Wieder warf er die Dinge in den Weg, die sich auf den Regalen stapelten – es waren keine Bandaufzeichnungen mehr, sondern Lochkartenstapel. An einigen frei auf einem Ablagetisch geblätterten Karten erblickte Mortimer im Vorbeirennen Fingerabdrücke, Bilder von Köpfen – Frontal- und Profilaufnahmen. Offenbar befand er sich in der berüchtigten Kartei der Weltpolizei, in der die Daten jedes Bürgers festgehalten waren.

Hier gab es auch an der Hinterwand keinen Ausgang; Mortimer schien endgültig in eine Sackgasse geraten zu sein. Während sich die Cars in einer wilden Jagd näherten, suchte er gehetzt nach einer Möglichkeit des Entrinnens. Der erste Wagen war schon dicht vor ihm, zwei Stahlklauen hoben sich ihm entgegen ... er wich zurück, ein Fetzen seiner Hose blieb in der Zange. Kurz entschlossen kletterte Mortimer auf ein Regal hinauf, die Fachbretter als Leitersprossen benutzend. Mit einem Aufatmen fühlte er sich vorderhand in Sicherheit – die Cars pendelten unten hin und her wie Raubtiere hinter dem Käfiggitter. Mortimer vermochte seine Stellung, dicht unter der Decke hängend, nicht lange beizubehalten, seine Muskeln verkrampften sich, seine Finger erlahmten. Er schwang sein Bein zur jenseitigen Regalwand hinüber und konnte sich nun, rechts und links sich dagegen stemmend wie ein Kaminkletterer, leidlich bequem halten. Als er sich auf diese Weise weiterzubewegen versuchte, blieben die Cars unten auf gleicher Höhe – so war ihnen also auch nicht zu entrinnen.

Aus der Nebenhalle erschollen Rufe – jetzt waren schon Menschen mobilisiert, er sah die blauen Uniformen der Weltpolizei zwischen den Regalstreben. Obwohl es eine klägliche und sicher auch vergebliche Art der Flucht war, bewegte sich Mortimer oben zwischen den Regalwänden weiter, traversierte mühsam über eine Seitenwand und drang in die letzte, hinterste Reihe ein. Und da sah er etwas, was ihm neue Hoffnung gab: Es war eine Schachtmündung in der Wand, ein kleines niedriges Wägelchen stand davor auf hineinlaufenden Schienen, beladen mit einigen übereinandergestapelten Kassetten voll Lochkarten. Sie mußte zu einer Stelle führen, wo man oft mit der Prüfung von Personaldaten zu tun hatte, aber das war jetzt gleichgültig. Wichtig war, daß die Öffnung einen Menschen gerade eben faßte. Mortimer sprang mit einem Satz von der Regalwand herunter, stolperte ... fing sich ... die Cars schossen auf ihn zu ... er spürte Hiebe im Rücken, in den Oberschenkeln ... dann hechtete er sich in die Mündung wie ein Tiger durch den brennenden Reif, und landete auf einem leeren Rollwägelchen. Dunkelheit umfing ihn. Er spürte das Pfeifen der Luft um sich herum und merkte, daß er sich in Bewegung befand.

7

Die Fahrt dauerte nur Sekunden, dann schwoll ein Lichtpunkt jäh zu einem Maul an, das ihn ausspie. Er landete auf einem Ablagetisch, überschlug sich, ein Bündel Lochkarten glitt auseinander, verteilte sich über den Boden, eine Kassette splitterte.

Als sich Mortimer aufrappelte, blickte er in ein fassungsloses Gesicht, soweit der aufgedunsene Fettüberzug den Ausdruck der Fassungslosigkeit annehmen konnte.

»Wie kommst du hierher? Wer bist du?« Hinter ihm erschien die Mündung einer Gammapistole, ein kleiner schwarzer Kreis, und doch die Quelle zerstörerischer, alles durchdringender Gammastrahlen ...

»Es muß der Saboteur sein, vor dem wir gewarnt wurden«, sagte die heisere Stimme Buschors. Mit dem Kopf machte er eine heftige Bewegung auf Mortimer zu, ohne aber die Deckung hinter seinem Chef zu verlassen. »Nimm die Hände hoch, Kamerad!«

»Cardini, Sie kennen mich!« sagte Mortimer. »Sie wissen doch ... vor drei Wochen in der Wohnung mit Niklas und Breber ...«

»Die Hände hoch, oder du wirst gegrillt«, zischte Buschor.

»Sie müssen sich doch erinnern, Sie haben uns noch Glück gewünscht!« beschwor Mortimer.

Buschor hob mißtrauisch die Augenbrauen.

»Was meint der Mann?« fragte er.

»Ich habe keine Ahnung! Rufen Sie sofort den Suchtrupp.« Mortimers Stimme überschlug sich. »Nein, Buschor – warten Sie! Sie müssen es doch wissen, Sie waren doch dabei!«

»Kennen Sie den Kerl?« fragte Cardini.

»Nie gesehen, Chef!«

»Der Mann spinnt!« Cardini trat selbst an das Mikrophon seiner Sprechanlage.

»Der Verdächtige befindet sich hier. – Nein, es ist nichts passiert. – Unbewaffnet, wie es scheint.«

Mortimer machte noch einen letzten Versuch: »Es ist noch nicht alles verloren, Cardini! Sie können das Unternehmen noch retten. Schicken Sie den Suchtrupp nach oben! Befehlen Sie den Robotern, ins Lager zurückzukehren! Inzwischen können wir den Sender zerstören.«

»Den Sender zerstören – der Kerl muß wahnsinnig sein.«

»Aber gefährlich«, setzte Buschor hinzu.

»Sieht so aus. Der anonyme Anrufer hatte recht.«

Ein Schnarrzeichen ertönte vom überdimensionalen Schreibtisch.

»Sofort hereinkommen!« rief Cardini ins Mikrophon. Einige Uniformierte mit gezogenen Waffen postierten sich im Halbkreis um Mortimer, der zerschunden und zerschlagen an der Wand lehnte, im Hemd, mit zerrissener Hose, unfähig zu begreifen. Nun war das Letzte eingetreten. Er war verloren. Es galt, stark zu bleiben, Haltung zu bewahren wie die Unzähligen vor ihm, die ein ähnliches Schicksal ereilt hatte – wie Niklas oder Lementov. Wenn er sich ständig vorsagte, daß ihn sowieso nichts mehr retten konnte, würde er es vielleicht ertragen können.

Zwei Männer in Zivil betraten das Zimmer.

»Betäuben?« fragte der eine.

»Nur Arme und Beine, Doktor Selznik«, ordnete Cardini an.

Der kleine, unscheinbare Mann war ein weltbekannter Neurologe, Psychologe und Propagandist, der im Dienste der Regierung die medico-technische Institute beaufsichtigte. Er trat an den Gefangenen heran und stieß ihm eine Nadel in die Achseln und Leisten. Mortimer hatte einen Moment das Gefühl, frei in der Luft zu schweben, dann schlug er hart am Boden auf.

»Alles vorbereiten zum Verhör«, befahl Cardini. »In fünf Minuten im Befragungsraum. Wollen doch sehen, was hinter der Sache steckt!«

Die Männer packten ihre Instrumentenkoffer aus. Sie nahmen seine Fingerabdrücke ab, analysierten sein Blutbild, das Körpereiweiß, die Gen-Karte. Dann wurde Mortimer auf eine Trage geladen, ein Car zog ihn zum Lift, hinauf in das sechste Stockwerk, in dem die medizinischen Laboratorien lagen. In einem weißgekachelten Raum mit mehreren ihm unbekannten Apparaturen wurde er abgestellt. Er versuchte angestrengt, sich zu bewegen, aber Arme und Beine waren so gefühllos, als existierten sie nicht mehr. Er vermochte sich zwar aufzubäumen, aber zwei Männer in weißen Kitteln setzten ihn mühelos in einen Stuhl und schlossen einen leicht gebogenen Bügel vor seinem Magen, der ihn zusammenschnürte wie ein zu eng geschnallter Gürtel.

Zwei Minuten später standen alle jene Männer um Mortimer herum, die er schon im Arbeitsraum Cardinis gesehen hatte, aber sie machten zunächst keine Anstalten, mit dem Verhör zu beginnen. Dann erscholl die Schnarre in der Tür, und herein trat Perriet, der Regierungschef und Staatspräsident, mit einigen Angehörigen seines Stabes. Mortimer erkannte O'Gaery, den Leiter des Sozialstrategischen Büros, seinen Chef im Staatsdienst.

Perriet trat dicht vor Mortimer und musterte ihn wie ein seltsames Insekt. Dann wandte er sich an O'Gaery. »Ein Mann Ihrer Abteilung?«

»Ja, Sir!«

»Tut mir leid, muß Sie festnehmen lassen.« Er machte eine ungeduldige Handbewegung. »Los, lähmen, festschnallen!« Er winkte Cardini. »Also, Cardini, wie kam es zu diesen unglaublichen Vorfällen?«

»Wir erhielten einen Anruf, Sir«, berichtete der Polizeichef, »einen Anruf von einem Unbekannten. Wir haben versucht, herauszufinden, woher – offenbar aus dem südamerikanischen Distrikt . . .«

»Haben Sie den Anrufer identifiziert?« unterbrach ihn Perriet.

»Nein, Sir.«

»Dann halten wir uns damit nicht auf! Was wollte der Unbekannte?«

»Er warnte uns. Warnte uns vor einem Revolutionär, einem

Mitglied der verbotenen Liberalen Partei. Dieses Subjekt sollte sich irgendwo im Regierungsgebäude herumtreiben. Und einen Anschlag planen.«

»War der Mann bewaffnet? Haben Sie irgend etwas Gefährliches festgestellt? Haben die Detektoren angeschlagen? Sprengstoffe? Uran? Plutonium? Gift?«

»Nein, Sir. Nichts, Sir.«

»Ein Skandal!« sagte Perriet. »Sie haben sofort Alarm gegeben – das war richtig. Wo haben Sie den Kerl gefunden?«

»Bei mir im Arbeitszimmer, Sir.« Cardini stockte. »Er kam ... das heißt, er erschien im Verbindungsschacht zum Personalarchiv ...«

»In Ihrem Arbeitszimmer?« Der Regierungschef runzelte die Stirn. »Höchst sonderbar. Rätselhaft. Was wollte er bei Ihnen?«

»Ich weiß nicht, Sir.« Cardini erschien nicht mehr so sicher wie sonst.

»Haben Sie eine Beziehung zu diesem Mann? Haben Sie ihn schon gesehen?«

»Nein, Sir.«

»Zum Teufel, was suchte er bei Ihnen – wenn er Sie wenigstens zu erschießen versucht hätte!«

»Ich weiß es nicht.«

»So. Sie wissen es nicht.« Perriet drehte sich zu Dr. Selznik um. »Dann Verhör.«

»Chemisch, Sir? Oder nach dem Fokussierungsverfahren ...«

»Hören Sie auf mit Ihren Verfahren! Tun Sie was, aber schnell!«

»Ich schlage einen leichten Drogenschock vor, und darauffolgend eine hormonelle Aktivierung des Mitteilungsbedürfnisses.«

Perriet zog ungeduldig einen Stuhl heran und setzte sich. »In Ordnung. Wenn es nur rasch geht. Wer weiß, welche Teufelei bereits im Gange ist!«

Mortimer beobachtete, wie Dr. Selznik an den Wandschrank trat, eine Schublade öffnete, eine Ampulle anfeilte und die Flüssigkeit mit einer Spritze aufzog. Dann verdeckte ihm einer der Assistenten die Sicht – sein Hemdsärmel wurde hochgestreift, der Oberarm abgebunden. Er sah den Arzt mit der Spritze vor sich. Den Einstich in die Vene fühlte er nicht. Mit allen Muskeln, die ihm noch gehorchten, versuchte er sich zu wehren, wußte aber zur gleichen Zeit, daß das vergeblich war. Der Arzt brauchte sich nicht einmal umzudrehen, um ihn festzuhalten.

Mortimer saß wie auf einer Bühne. Zwei Dutzend Augen hingen erbarmungslos an ihm. Er erwartete den Schmerz, fühlte gewissermaßen in sich hinein, um schon die ersten leisen Anzeichen zu erkennen, um nicht von einer jäh einsetzenden Welle der Qual überwältigt zu werden. Seine Zunge spielte an der linken unteren Zahnreihe – das war der letzte Ausweg, der letzte Halt, der ihm geblieben war, die Garantie, nicht zum Verräter zu werden. Er schob die Kinnlade vor und fühlte den leisen Widerstand. Noch zwei Millimeter, und sein Leben hätte sich erfüllt...

Der Schmerz kam nicht. Statt dessen breitete sich in seinem Körper eine Schwäche aus, die zuerst nicht einmal unangenehm war. Dann fühlte er ein leises Schwindelgefühl, eine Leere im Kopf und einen Anflug von Unwohlsein und Ekel. Er regte sich nicht mehr, weil er das Gefühl hatte, daß ihm jede geringste Veränderung seiner Lage, ein Augenzwinkern, das Hinunterschlucken des Speichels, in einen bodenlosen Abgrund von Übelkeit stürzen könnte.

Dr. Selznik machte sich inzwischen an einer der Apparaturen im Hintergrund zu schaffen, dann trat er wieder vor. In der Hand hielt er ein Gerät, das über einem Kabelstrang mit einem leise summenden Kasten verbunden war. Es sah aus wie ein Haartrockner, endete aber mit der typischen Schirmform eines Gehirnfokus. Mortimer war sich darüber im klaren, daß ihm genausowenig Chance bleiben würde, zu tun und zu lassen, was er wollte, wie jenen Versuchstieren, den Hühnern und Enten, denen die Vorläufer der modernen Elektro-Neurologen Drahtenden ins Gehirn geführt hatten, um in ihnen beliebig Schlafbedürfnis, Aggressionshandlungen oder geschlechtliche Erregung hervorzurufen. Als der Arzt vor ihm stehen blieb, als er die Schirmantenne an seinen Schädel legte, dessen Haare in den letzten drei Wochen erst wenige Zentimeter gewachsen waren, da stieg die Furcht, zum Verräter zu werden, schlagartig in ihm hoch, und er überwand die Trägheit und die Lähmung der Übelkeit und schob den Unterkiefer entschlossen vor, bis er den Widerstand an seinem giftgefüllten Zahn spürte. In diesem Moment zögerte er wieder. Mit einem Male wurde ihm bewußt, daß dann alles vorbei war – Fühlen und Denken, Hoffnung und Furcht, Haß und Liebe, all die Dinge, die das Leben lebenswert machen. Liebe! Jetzt kam ihm unvermittelt Maida in den Sinn. Wie er gehofft hatte, sie wiederzusehen . . .

Etwas vibrierte an seiner Schädeldecke, etwas drang in sein Gehirn, etwas wühlte und bohrte in seinem Kopf, zwar ohne zu schmerzen, aber unentrinnlich, gewalttätig . . .

Da waren Tiere . . . ein Krokodil, Schlangen, Schildkröten, ein Gnu . . . zwischen, neben, ja in den weißen Gesichtern, die ihm zugewandt waren . . . die Tiere waren jetzt verschwunden, etwas wanderte, wie die von einer schwenkenden Kamera aufgefangene Szenerie, dann tauchten Zahlen auf, Formeln, der Rauminhalt einer Pyramide, der Parallelogrammsatz . . . jetzt war er in der Spielschule, er sollte das Gedicht aufsagen und fand den Anfang nicht – alle schwiegen, warteten und starrten ihn an . . . nein, es waren nicht die Lehrer, Eltern und Spielkameraden, es waren Niklas, Breber und Guido, sie lachten und klatschten die Hände auf die Schenkel, er stand im Nachthemd vor ihnen und heulte, weil er sich vor der Ringelnatter fürchtete, die sie in sein Bett geschmuggelt hatten . . . etwas riß ihm den Kiefer auseinander, er sang, den Mund weit geöffnet, die Lippen zu einem großen O geformt, »happy birthday to you, happy birthday to you«, sie waren seine Freunde, ja, er liebte sie, er wollte zu ihnen, ihnen auf die Schultern klopfen, ihre Hände ergreifen und schütteln . . . er mußte ihnen sagen, »Hört zu, hört zu . . .«

»Wir wollen die Welt retten«, rief er. »Ich bin schon seit vier Jahren bei den Liberalen . . .«

»Jetzt hab' ich das Mitteilungszentrum im Fokus«, sagte Dr. Selznik. »Sie können ihn verhören, er sagt alles ohne Hemmung.«

»Mein Name ist Mortimer Cross, seit drei Wochen bin ich hier auf dem Mond, ich arbeite im Strategischen Büro ...« Die Worte sprudelten aus Mortimer heraus. Er hörte sich selbst zu, als wenn da jemand anderer sprach, er strengte alle Kräfte an, um sich zum Schweigen zu zwingen, doch vergeblich ... »Heute habe ich mich mit der Frage des Bevölkerungszuwachses beschäftigt, in zwanzig Jahren wird es doppelt so viel Menschen geben ...«

Cardini schob ein Mikrophon in die Mitte des Raumes.

»Nun schön der Reihe nach! Hast du eine Bombe gelegt?«

»Nein!« sagte Mortimer. »Es handelt sich um keine Bombe ...«

»Was denn?« unterbrach Cardini. »Vielleicht ein Anschlag mit Giftgas?«

Mortimer merkte, daß er den Plan und die Kameraden verraten würde. Er hatte alles mögliche erwartet, Prügel, Folter, Injektionen, und hatte sich für stark genug gehalten, das alles zu ertragen. Jetzt aber war sein Wille ausgeschaltet. Es strömte aus ihm heraus, ohne daß er den geringsten Einfluß darauf hatte. Zwar hatte er bis jetzt noch nichts Wichtiges gesagt, aber jedes Wort konnte Verrat bedeuten – Verrat an seinen Kameraden, Verrat an ihren Zielen. Mortimer schob den Unterkiefer vor, über den Widerstand hinweg, etwas knackte in seinem Mund, ein süßlicher Geschmack verbreitete sich über seine Zunge, er schluckte heftig, aber noch immer redete er:

»Kein Giftgas. Niemand soll verletzt werden. Es geht uns nur darum, den Einfluß der Regierung auszuschalten, die Überwachung, das Eingreifen in private Dinge. Aber Sie wissen es doch, Cardini, Sie haben mir doch selbst Glück gewünscht. Es geht darum ...«

Der Regierungschef war aufgesprungen.

»Was sagt er da? Cardini weiß von eurem Anschlag?«

Mortimer merkte entsetzt, daß er jetzt antworten würde. Er versuchte, wenigstens eine Sekunde zu gewinnen – das Gift sollte doch unverzüglich wirken! Er biß sich in die Zunge, aber seine Kraft war zu gering, um ihn sich eine merkliche Verletzung zufügen zu lassen, er spürte zwar einen heftigen Schmerz, aber seine Stimmbänder, oder was es sonst war, sprachen weiter, zwar etwas undeutlich, aber ohne Pause, ohne Rücksicht auf seinen Willen.

»Cardini weiß alles. Auch Buschor ist beteiligt. Darum hätte es eigentlich diesmal nicht mißlingen dürfen . . .«

»Nehmt sie fest!« schrie Perriet und deutete auf die beiden Genannten. Die Polizisten stürzten auf sie zu.

Der Polizeichef wich bleich an die Wand zurück. »Ich verstehe nicht . . . das ist ein schreckliches Mißverständnis!«

»Kann es sein, daß der Gefangene lügt?« wandte sich Perriet an Dr. Selznik.

Der Arzt verneinte: »Ausgeschlossen!«

»Dann lähmt sie und bringt sie ins Nebenzimmer. Sie kommen anschließend zum Verhör! Eine unglaubliche Verschwörung! Jetzt aber zurück zu Baraval.« Er tippte Mortimer mit dem Finger auf die Brust. »Heraus damit! Was hast du getan? Um was für einen Anschlag handelt es sich?« Sein Gesicht zuckte nervös, er beugte sich vor und schüttelte Mortimer heftig.

»Nicht doch!« rief Dr. Selznik. »Sie verstellen die Fokussierung. Er muß doch sowieso sprechen!«

»Wir wollten den Speicher des OMNIVAC ausschalten, die Informationen vernichten . . .«

»Aber wie, zum Teufel!«

»Mit einem Ionisator. Ich habe einen Ionisator in das Belüftungsrohr eingebaut. Die Ionen depolarisieren . . .«

Perriet drehte sich um. »Um Gottes willen! Was können wir dagegen tun?« fragte er.

»Der Chefingenieur müßte es wissen«, antwortete einer der Männer aus der Reihe der bisher stummen Zuschauer.

»Verbinden Sie mich mit ihm!« forderte Perriet. Sie haben den Ionisator nicht entdeckt, dachte Mortimer. Eine schwindelnde Freude erfüllte ihn. Vielleicht war der Anschlag doch gelungen! Währenddessen sprach er unentwegt weiter – sein Mitteilungsbedürfnis war unstillbar.

»Die Informationen sind durch geladene und orientierte Moleküle ausgedrückt. Durch die ionisierten Gasteilchen werden sie gelöscht wie ein Tonband, über das man einen Magneten zieht.«

Perriet brüllte in die Gegensprechanlage. »Wir müssen den Speicher retten. Was ist gegen die Ionen zu tun?«

Eine tonlose Stimme antwortete aus dem Mikrophon: »Zuerst muß der Ionisator entfernt werden. Dann gilt es, die ionenverseuchte Luft möglichst schnell aus dem Raum zu kriegen. Ob es aber noch etwas nützt?«

»Wir müssen es versuchen. Was schlagen Sie vor?«

»Das beste Mittel wäre es, eine Verbindung zum äußeren Vakuum herzustellen. Dann würde die gesamte Luft des Speichergebäudes samt den Ionen schlagartig abweichen.«

»Wie könnte man das erreichen?«

»Einen Moment, ich sehe gerade den Plan an . . . Es geht! Die Situation ist sogar recht günstig. Unter der Speicherhalle führt der Gang zum Sendemast III, durch einen Notausstieg besteht sogar eine Verbindung nach außen. Am Ende des Ganges existiert ein alter Bauschacht; hier braucht man nur zwei Schleusentüren zu öffnen. Das alles kann in fünf Minuten geschehen.«

»Veranlassen Sie alles Nötige!«

»Verstanden!«

Perriet schaltete das Gerät aus und setzte sich wieder auf einen Stuhl. Sein Gesicht sah müde aus. »Dr. Selznik, führen Sie das Verhör zu Ende!«

Der Arzt folgte dem Befehl. Er fragte, und Mortimer antwortete. Er berichtete von seinem Zusammentreffen mit Breber und Niklas, von den Befehlen, die er bekommen hatte, von Dr. Prokoff und der Gehirnübertragung, die dieser an ihm vorgenommen hatte. Er berichtete von Maida und ihrem nächtlichen Spaziergang im Garten. Er berichtete, wie er Maida im Flughafen aufgesucht hatte . . .

In diesen Redefluß hinein erscholl ein Heulton – die Alarmsirene. Dr. Selznik unterbrach sein Verhör, Perriet lief zur Gegensprechanlage und rief die Überwachungszentrale.

»Was ist passiert – wer hat Alarm gegeben?«

Eine aufgeregte Stimme antwortete ihm: »Der Alarm wurde automatisch ausgelöst – von Meldestelle 16 . . .«

»Wo ist das?«

»Es ist der Gang zum Sender III, der eben evakuiert wurde.«

»Rasch, stellen Sie die Ursache fest!«

»Wird sofort geschehen . . . ein Überwachungswagen ist schon unterwegs . . . er sendet noch nichts . . . Achtung: jetzt kommt eine Nachricht vom Suchtrupp vier: In der Lufterneuerungsanlage wurde nichts Ungewöhnliches gefunden, außer einem gewöhnlichen Schweißgerät hinter dem Verteiler, in der Leitung zur Speicherhalle. Von einer Luftionisierung ist nichts zu bemerken. Der Elektrizitätsgehalt der Luft ist überall normal.«

»Seltsam. Vielleicht sollten wir den Gefangenen noch einmal . . .«

»Achtung, jetzt kommt ein Bild von Meldestelle 13 . . . Ich lege es auf Ihre Sichtscheibe.«

Auf dem großen Fluoreszenzschirm flimmerte es, dann sah man ein Stück des Ganges mit laufenden Männern in Vakuumanzügen . . . einer rannte direkt auf den Beschauer zu, jetzt war er riesengroß im Bild, er hob einen Gegenstand, schmetterte ihn hinab . . . das Bild erlosch.

»Das ist Breber«, rief Mortimer. »Habt ihr ihn gesehen? Breber, von dem ich erzählt habe! Sie kommen! Wir haben gewonnen!«

8

Fünf Minuten später war er befreit. Zwanzig Bewaffnete waren eingedrungen und hatten die Polizisten überwältigt, die anwesenden Spitzen der Regierung gefangengenommen, Dr. Selznik gezwungen, Mortimer eine Spritze zu geben, die ihn wieder zum Herrn über seine geistigen und körperlichen Funktionen machte. Ein wenig taumelig stand er da, aber er war gesund und begeistert. Nur eins bedrückte ihn – obschon es jetzt im Grunde genommen gleichgültig war: daß er die Kameraden letztlich doch verraten hatte.

»Komm mit!« forderte ihn Guido auf. »Du bist einer der wenigen, die sich hier im Hause auskennen. Komm mit mir in die Zentrale. Von dort aus werde ich die weiteren Aktionen leiten. Du bleibst bei mir – zu meiner persönlichen Beratung.«

»Hast du noch Vertrauen zu mir?« fragte Mortimer. Er öffnete die Tür und wies den Weg nach rechts zum Lift.

»Warum nicht? Du hast deine Aufgabe ausgezeichnet gelöst.«

»Nein, Guido«, widersprach Mortimer. »Irgend etwas ist schiefgegangen – mit der Giftkapsel. Das Mittel hat nicht gewirkt.«

»Du hättest es wirklich fertiggebracht, dich selbst zu töten? Alle Achtung!«

»Im Ernst: Ich habe euch verraten, Guido«, stammelte Mortimer. »Sie haben mir eine Injektion gegeben und dann den Fokus angesetzt. Ich mußte reden. Ich konnte nicht anders. Ich dachte, es darf nicht sein, aber es strömte aus mir heraus, alles was ich wußte, von dir und Niklas, von Cardini und Buschor, von unserem Anschlag auf das Speicherzentrum . . .«

»Zerbrich dir nicht den Kopf, ist doch alles gut gegangen.« Guido folgte Mortimer in den Lift und dieser drückte den Knopf mit der Aufschrift 40; in der vierzigsten, der obersten Etage befanden sich die Räume der Regierungsmitglieder und die Zentrale, in der alle Nachrichtenverbindungen mündeten und von der aus der OMNIVAC programmiert wurde.

»Nein, Guido, so einfach ist das nicht für mich. Ich habe versagt. Ich habe euch verraten . . .«

»Schluß jetzt«, sagte Guido scharf. »Jeder hatte seine Aufgabe, ohne über ihre Hintergründe zu wissen. Ich selbst bin schon von Jugend an im Regierungsdienst tätig – allerdings war ich bis vor kurzem auf die Erde versetzt und kam erst vor vierzehn Tagen hierher. Und auch ich wußte bis gestern keine Einzelheiten des Planes. Du hast also keinen Grund, dich zu beklagen. Was dir fehlt, ist das Vertrauen. Wir haben dir gesagt, daß alles eingeplant ist. Alles! Ist das nicht klar genug?«

Mortimer spürte einen Druck im Magen und wußte nicht, ob er von Guidos Worten oder vom raschen Aufstieg des Lifts herrührte.

»Alles? Du meinst, auch mein ... mein Verrat ...«

»Das sage ich doch. Im Zahn war Traubenzuckerlösung. Du hast also nicht den geringsten Grund, dich zu kränken.«

»Aber warum nur?« fragte Mortimer. »Warum habt ihr das getan?«

»Ganz einfach«, antwortete Guido. »Wir wollten den Leuten des alten Regimes einige Nachrichten übermitteln, die absolut glaubwürdig sein mußten. Darum haben wir dich präpariert. Alles ist prächtig gelungen.«

Mortimer begriff nur allmählich. »Dann sollte ich also gefangen werden ... habt ihr mich vielleicht sogar in die Hände der Polizei gespielt?«

Guido lächelte befriedigt. »Aber sicher!« bestätigte er.

Die Liftkabine hielt. Wie im Traum trat Mortimer hinaus und schlug die Richtung zur Zentrale ein. Guido legte ihm die Hand auf die Schulter.

»Mach dir nichts draus – es ging nicht anders. Wir mußten dich täuschen. Hätten wir dich über unsere wahren Pläne informiert, so hättest du sie ebensowenig verschweigen können. Die heutigen Verhörmethoden sind vollkommen – niemand kann sich ihnen entziehen. Sogar aus einem Toten holen sie Informationen heraus.«

Als Mortimer schwieg, setzte er hinzu: »Es ging um unsere Sache, auf die Gefühle einzelner wird keine Rücksicht genommen. Das siehst du wohl ein!«

Mortimer sah es ein. Es war einfach und es war klar, und es war sicher auch richtig gewesen. Doch, obwohl er es einsah, vermochte er es nicht hinzunehmen. Er war getäuscht worden. Er hatte eine Aufgabe bekommen und den Willen gehabt, sie unter allen Umständen, selbst unter Einsatz des Lebens, zu lösen. Er hatte die Begeisterung durchlebt, in ein weltbewegendes Geheimnis eingeweiht zu sein, und die tödliche Enttäuschung, versagt zu haben, und nun entpuppte sich diese Aufgabe als ein abgekartetes Spiel, ein Täuschungsmanöver, in dem er eine zwielichtige und klägliche Rolle gespielt hatte.

Aber hatte er nicht doch der Partei gedient – so wie er es geschworen hatte, ohne Rücksicht auf persönliche Vorlieben und Abneigungen? Wenn man sich einer Aufgabe weiht, dann muß man sie voll und ganz tun – bis zum bitteren Ende. Es war wohl nur verletzter Stolz, der ihn maulen ließ wie ein Kind.

»Es wird sicher alles richtig sein«, sagte er leise. »Wenn wir nur Erfolg haben!«

»Aber sicher«, sagte Guido heiter. »Was soll noch schiefgehen? Wir haben so gut wie gewonnen.«

Ein Bewaffneter in Zivil erwartete sie an der Tür zur Zentrale. »Alles in Ordnung! Dieser Trakt befindet sich fest in unserer Hand. Es gab nur wenig Widerstand.«

Einige Männer erwarteten sie. Mortimer kannte keinen von ihnen.

»Hallo, Guido! Gut, daß du da bist. Sollen wir zuerst den Reaktor besetzen oder das Waffenmagazin?«

»Die Computerhalle«, entschied Guido. »Aber macht weiter!«

Jeder hatte ein Mikrophon vor sich, beobachtete Vorgänge auf einem Bildschirm oder hörte Meldungen ab. Guido setzte sich auf den Rollstuhl, von dem aus das Schaltbrett des OMNIVAC zu bedienen war und ließ seine Hände auf das glatte Metall der Schreibplatte klatschen. »Jetzt arbeitest du für uns, alter Bursche«, sagte er. Nach einer Weile drehte er sich mit dem Stuhl um, zu Mortimer, dem einzigen, der inmitten der eifrigen Geschäftigkeit untätig dastand – als gehöre er nicht dazu.

»Der OMNIVAC!« sagte Guido. »Er ist das Wichtigste überhaupt. Mit ihm ist man Herr über Tod und Leben, über Vergangenheit und Zukunft. Und viel später erst kommen die Vorräte an Plutonium und Wasserstoffbomben.«

Mortimer stutzte. »Ich habe geglaubt, die sind seit Jahrhunderten vernichtet.«

»Unsinn. Wer wird solch wertvolles Material vernichten? So dumm waren nicht einmal die alten Demokraten aus Ost und West.«

Ein Mann sprang auf und schwenkte einen Papierstreifen.

»Die Computerhalle ist eingenommen. Im Südflügel haben sich stärkere Polizeikräfte verschanzt. Trupp sieben mit Hassan an der Spitze versucht, sie auszuräuchern. Ein Raumschiffgeschwader von der Erde befindet sich im Anflug.«

»Mit denen werden wir fertig«, lachte Guido. »Die Raketenabschußbasen werden von hier aus bedient.« Er sah sich suchend auf dem Schaltpult um, dann drückte er einige Knöpfe nieder. »Jetzt sollen sie kommen! Sobald sie nahe genug sind, sende ich ihnen ein paar stählerne Grüße entgegen.«

»Wieviel Leute von uns sind hier?« fragte Mortimer.

»Zweihundert«, antwortete Guido. »Mit zwei Lasttransportern schwarz gelandet. Ich selbst habe die Radarsicherung ausgeschaltet. Das Schwierigste war es, unsere Männer ins Regierungszentrum selbst zu bringen. Aber da half uns ein genialer Plan von Niklas.

Wir täuschten einen Anschlag auf den Speicher vor; das war deine Aufgabe – wenn du auch nichts davon geahnt hast. Es stand fest, daß sie alles tun würden, um die Informationen zu retten. Und so geschah es auch: Sie wendeten das Mittel an, das am schnellsten zum Erfolg führen sollte – eine Direktverbindung zum äußeren Vakuum –, und öffneten uns so selbst den Weg. Die Speicherhalle ist mit dem sublunaren Gang zum Sender III verbunden, und deshalb warteten wir dort vor der Schleuse in unseren Raumanzügen. Als sich die Deckel ferngesteuert hoben, drangen wir ein – der letzte verschloß sie wieder. Wir kamen in die Speicherhalle und sprengten an einer passenden Stelle die Wand. Die Belüftung stellte den Normaldruck wieder her, und wir konnten die Raumanzüge ablegen. Jetzt war es nicht mehr schwer. Wir . . .«

Einer der Posten an den Geräten meldete: »Trupp zwei mit Gerkösi hat das Waffenlager eingenommen. Er bereitet alles zum Sprengen vor.«

Guido sprang auf. »Sprengen! Wer hat etwas von Sprengen gesagt? Hast du ihn an der Leitung? Ich muß ihn sprechen!«

Er beugte sich zum Mikrophon und rief: »Gerkösi – das ist doch ein Irrtum! Du willst sprengen? Wir brauchen doch die Waffen!«

Eine nasale Stimme antwortete ihm.

»Von nun an wird es auf der Welt keine Waffen mehr geben – dafür habe ich gekämpft. In fünf Minuten sprengen wir. Ende.«

»Der Wahnsinnige«, schrie Guido. »Wer ist ihm am nächsten? Pjotr mit seinem Trupp? Gut. Er muß das verhindern.«

»Aber er bewacht die Luftversorgungsanlage«, warnte einer der Männer.

»Dann bleibt sie eben unbesetzt!«

Guido ließ sich schwer in seinen Stuhl fallen. »Diese Fanatiker mit ihren kindischen Ideen! Das ganze Unternehmen wird gefährdet!«

Er nahm noch einige Meldungen entgegen und dirigierte die Trupps im Regierungszentrum herum. Dann schrie plötzlich eine Stimme: »Achtung! An alle! Cardini ist entkommen. Auch Dr. Selznik wird vermißt. Sie können noch nicht weit sein. Sie sind sofort festzunehmen, nötigenfalls zu erschießen! Achtung, Achtung ...«

»Wie konnte das passieren?« fragte Guido tonlos. Auf einmal hatte er seine Sicherheit verloren. »Jack und Trupp vier hätten ihn bewachen sollen. Wo befindet sich Jack?«

»Er antwortet nicht. Die Verbindung ist abgerissen.«

»Wir müssen herausfinden, was passiert ist.«

Der Mann, der mit den einzelnen Trupps Verbindung hielt, gab einen Suchbefehl nach Jack durch. Nach einer Weile berichtete er: »Jetzt habe ich einen Mann vom Trupp 4 an der Strippe. Jack ist in die Notenbank eingedrungen. Seine Leute haben Kisten mit Travellerschecks auf einige Transportcars geladen und sind zur Schleuse gefahren.«

»Verflucht«, rief Guido. »Er kommt vor ein Standgericht! Vor allem aber müssen wir Cardini wiederkriegen. Jeder Trupp zweigt fünf Mann ab, die Suchpatrouillen bilden.« Er sank geschlagen in seinen Stuhl zurück.

»Aber Cardini gehört doch zu uns!« sagte Mortimer unsicher, und im selben Augenblick bereute er seine Frage schon. Er hätte sich die Antwort schon vorher geben können.

»Cardini gehörte nie zu uns.« Guido sprach nun schleppend und gelangweilt, als wollte er dokumentieren, daß seine Geduld grenzenlos wäre. »Ganz im Gegenteil. Er ist der gefährlichste Mann der Regierung, ein Mann von ganz anderem Format als der Hanswurst Perriet. Cardini mußten wir ausschalten. Er wäre der einzige gewesen, der noch Verdacht hätte schöpfen können.« Als er Mortimers Blick sah, beantwortete er dessen stumme Frage: »Wir haben die Feierlichkeiten bei der Eröffnung des Gibraltarprojekts auf Ampex aufgenommen und eine Szene daraus auf den Bildschirm geleitet. Sie paßte ausgezeichnet in unseren Plan. Niklas hat lange geübt, um seine Antworten genau in die Pausen hineinzusprechen.«

So also war das, dachte Mortimer. Auch das war Täuschung, Lüge. Aber es kam nicht mehr darauf an. Bei dieser Revolution hatte er mehr eingebüßt als sein Leben – er hatte sein Vertrauen, seine Begeisterung, seine Sicherheit verloren. Aber er war ein einzelner, und die Welt würde gerettet werden. Das war der einzige Maßstab, an dem alles zu messen war. Würde sie wirklich gerettet werden? fragte er sich dann. Was kam jetzt zum Vorschein: ein Chaos an Ideen, Wünschen, Irrtümern. Rettet man so die Welt?

Mortimer war zu matt, um gegen diese Stimme anzukämpfen. Er fragte auch nicht, ob es Reste des anderen, Baravals, waren. Es war ihm gleichgültig. Er hatte sich abgefunden. Mit allem. Auch mit Baraval.

»He, Guido, die Raketen!«

Als winzige Keile, die Wattebäuschchen hinter sich herzogen, erschienen sie auf einem Bildschirm. Hinter ihnen hing die blaugrüne Sichel der Erde.

»Entfernung?« fragte Niklas.

»Sechshundertdreiundzwanzig Kilometer.«

»Bei sechshundert zünde ich«, flüsterte Guido. Sein Blick hing am Bildschirm, seine Hand tastete nach dem roten Knopf.

Jemand las mit monotoner Stimme die Werte ab: ». . . zwanzig, sechshundertfünfzehn, sechshundertzehn . . .«

Jemand drehte an der Einstellung des Sichtgeräts, und die Raketen wurden größer, zu einem stattlichen Geschwader silberner Schiffe, die stolz und unbeirrbar durch den Raum zogen.

». . . fünf, sechshundert!«

Guidos Hand schoß hinunter zur Tastatur, wie von elektrischen Kräften angezogen. Es knackte leise.

»Fünfhundertneunzig, fünfhundertfünfundachtzig . . .«

»Gleich werden die Raumtorpedos auftauchen . . .«

»Und wenn sie nicht treffen?«

»Unmöglich. Sie steuern sich selbst ins Ziel.«

Die Stimme leierte: ». . . fünfhundertfünfzig, fünfhundertfünfundvierzig . . .«

»Was ist mit den Torpedos?«

»Hast du eine Rückmeldung bekommen?«

»Die Rückmeldung ist ausgeblieben!«

Guido drückte den Knopf noch einmal, schließlich schlug er ihn mit der Faust hinunter.

»Es funktioniert nicht!«

»Was sollen wir tun?«

»Die sind in zehn Minuten hier!«

Guido hielt den Kopf zwischen die Hände gestützt. Als er ihn hob, hatte er rote Flecken auf den Wangen. »Stelle eine Direktverbindung mit der Zentrale im Schiff her. Ich muß mit Niklas sprechen.«

Einer der Männer trat an jenen Abschnitt des Pultes, der für die Steuerung der Sender bestimmt war. Er legte einige Hebel um, zog einen Schiebeschalter hinunter, beobachtete die Kontrollampen ... Er schüttelte den Kopf, versuchte es mit anderen Schaltern.

»Die Schaltung reagiert nicht. Das ist mir unverständlich!«

Jetzt begann eine Lampenreihe zu flackern, ein Summton schwoll auf und verstummte wieder ...

»Hat jemand etwas verstellt?«

Die Frage war rhetorisch – niemand hatte sich bewegt.

»Den Hauptschalter abstellen!« schrie Guido. Er rannte selbst zum Kästchen mit den plombierten Wechselschaltern und riß sie alle hinab ... nichts veränderte sich ... Nur die Raketen auf dem Leuchtschirm waren bildfüllend geworden – man sah ihre abgeplatteten Spitzen, die Luken, die Beschriftung der Heckflossen.

Dann erlosch das Licht – die Raumbeleuchtung, das Leuchtschirmbild, die Reihe der Kontrollämpchen. Eine Stimme dröhnte: »Hier spricht Cardini. Ihr seid in meiner Hand. Jede Gegenaktion ist sinnlos. Von der Verbindung zu meinen Räumen habt ihr nichts gewußt – wie? Tröstet euch, niemand wußte etwas davon. Von nun an gehorcht der OMNIVAC mir. Die Roboter werden euch entwaffnen. Auf diese Stunde habe ich schon lange gewartet – ihr habt die Gelegenheit dazu herbeigeführt – eigentlich müßte ich euch danken. Aber ich bin nicht sentimental ... Ergebt euch oder ergebt euch nicht – mir ist es gleichgültig. Die neue Regierung wird euch entpersönlichen. Die neue Regierung – das bin ich!«

9

Es knackte im Lautsprecher, das Gesicht auf dem Lichtschirm verlor seine Farben und verschwand. Nun war es ganz dunkel. Im selben Maße, wie sich die Augen daran gewöhnten, schien der grüne Schein vor den Fenstern stärker zu werden, in die Räume zu dringen, nach den geduckt dastehenden oder sitzenden Menschen zu greifen.

»Wir sind verloren!« stammelte eine Stimme.

»Es stimmt – wir sind verloren«, bestätigte eine andere aus dem Hintergrund. »Aber wir werden uns wehren, – solange wir noch atmen können!«

Eine dritte mischte sich in hysterischem Tonfall ein: »Wir haben eine Chance! Es dauert noch mindestens zwanzig Minuten, bis die Raumschiffe landen. Jetzt gibt es nur noch ein Ziel: Cardini auszuschalten!«

»Unsinn, wir müssen uns mit ihm verbünden!« rief jemand aufgeregt. »Auf diese Weise . . .«

»Du verdammter Feigling! Das wäre das Letzte – uns mit Cardini verbünden!«

»Schlagen wir uns doch durch«, riet ein anderer, ein Mann, der noch nicht zu hören gewesen war. »In zwanzig Minuten können wir bei unseren Raumschiffen sein. Wir haben es nur mit ein paar Robotern zu tun!«

Die aufgeregte Stimme schrie dazwischen: »Cardini muß sterben! Wer kommt mit mir?«

Niemand meldete sich. Der Mann im Hintergrund sagte: »Die Roboter sind uns überlegen!«

»Aber sie dürfen einem Menschen nichts tun!« antwortete der Sprecher von vorhin, und man hörte den Funken einer Hoffnung daraus.

»Versuchen wir es!«

Wieder knackte es im Lautsprecher. Die tonlose Stimme einer automatischen Sprechanlage sagte in eintönigen, überdeutlich akzentuierten Worten: »Achtung an alle! Ergebt euch. Der Bürotrakt ist umstellt. Alle Wege nach außen sind versperrt. Ein neuer Typ von Polizeirobotern wird eingesetzt. Er besitzt keine Sperren gegen Angriffe auf Menschen. Das war die letzte Warnung. Ergebt euch.«

Ein Mann stürzte plötzlich vor und ergriff das Mikrophon: »Wir ergeben uns! Hört ihr? Wir ergeben uns . . .«

Ein anderer sprang aus dem Dunkel nach vorn. Er hob die Hand, und eine fluoreszierende Schlange lief durch den Raum.

Das Mikrophon fiel zu Boden. Der Mann, der es gehalten hatte, wankte und fiel. Der andere hob das Mikrophon auf und brüllte mit sich überschlagender Stimme: »Wir ergeben uns niemals«, schrie er. »Niemand kann uns unsere Ehre rauben! Es lebe Niklas! Es lebe die Freiheit! Wir kämpfen!«

Während des darauffolgenden begeisterten Geschreis, das alle schüchternen Proteste übertönte, spürte Mortimer einen schwachen Luftzug. Er blickte sich um und hatte den Eindruck, daß sich die Tür leise schloß. Wer fehlte? Vage fiel ihm auf, daß sich Guido nicht mehr hören ließ – aber er unterdrückte den häßlichen Verdacht. Behutsam trat er zurück in die schützenden Schatten, zog die Tür leise auf und schlüpfte hindurch. Vorn im Gang hörte er eilige Schritte.

Ihm war, als fiele etwas von ihm ab – vielleicht die verbissene Bereitschaft, etwas Verzweifeltes zu tun, vielleicht sogar die letzte Bindung an diese Männer, von denen jeder etwas anderes erstrebte und die sich nur in ihrem Zerstörungswillen einig waren. Die erste Empörung darüber, daß sich jemand heimlich aus dem Staub gemacht hatte, wich der Einsicht, daß es das einzige sei, was es noch zu versuchen galt.

Während er sich besann, war er einen Augenblick vor der Tür stehen geblieben. Als sich das Geschrei, das wie ein dumpfes Rollen herausdrang, langsam in Einzelrufe aufzulösen begann, wandte er sich nach links. Mit Überraschung konstatierte er, daß er völlig ruhig war; es schien ihm, als hätte ein anderer den Befehl in ihm übernommen. Er fragte sich nach seinem Ziel, und es wurde ihm bewußt: Eine Verbindungsbrücke zwischen dem Verwaltungstrakt mit dem danebenliegenden Forschungszentrum. Weiter im Hintergrund schimmerte aber noch ein anderes Ziel durch, etwas was überaus wichtig erschien, was den Einsatz wert war und ihm neuen Auftrieb gab, wenngleich es offenbar außerhalb des Erreichbaren lag – dieses Ziel war Maida. Was ihn in den letzten Tagen von ihm selbst uneingestanden bewegt hatte, gewann mit einem Male Gestalt, und jetzt scheute er auch nicht mehr davor zurück, daran zu denken. Wie ein Film liefen jene Szenen vor ihm ab, während derer er ihr nahe gekommen war, und da wurde plötzlich einem Signal gleich der Hinweis in ihm wach, den sie ihm beim Abschied gegeben hatte: das Forschungsschiff, dessen elfenbeinfarbiger Panzer sieghaft in der Sonne geglänzt hatte.

Jetzt plötzlich verstand er oder glaubte er zu verstehen: Es bedeutete einen Rettungsanker, einen letzten Halt vor dem Versinken! Deutete er es richtig? Sie hatte ihm nicht mehr sagen können, und jetzt wußte er auch warum: Hätte er die ganze Bedeutung schon früher geahnt, dann hätte er es herausgeschrien in seiner Trance, in seinem künstlich angestachelten Drang, alles, was verschwiegen werden sollte, zu offenbaren. So aber ... Maida hatte richtig gehandelt. Und sie hatte es für ihn getan.

Leichtfüßig lief er durch den kahlen dämmerigen Gang, durchbrach die Keile aus grünem Licht, die an den Fenstern hingen. Seine Ortskenntnis kam ihm zugute, er steuerte auf den kürzesten Weg zur Nottreppe, doch die Tür war versperrt und rührte sich auch nicht, als er sich mit dem vollen Gewicht seines Körpers dagegen warf.

Er kehrte um – zum Lift. Das war gefährlich, aber der einzige freie Weg. Er drückte auf den Knopf, doch kein rotes Lämpchen zeigte an, daß sich die Kabine irgendwo in Bewegung setzte. War die ganze Anlage stromlos?

Er versuchte die Tür zu bewegen, und zu seiner Überraschung gelang ihm das; sie glitt zur Seite. Die elektrische Sperre war ausgefallen. Vor ihm, noch dunkler als der verschattete Gang, gähnte der Aufzugschacht. Mortimer tastete hinter die Türfüllung und überzeugte sich: die Kabine war nicht da. Statt dessen fühlte er eine horizontale Strebe, und weiter unten noch eine. Er zögerte kurz, doch wie eine Anfeuerung hallten hinten im Gang Schritte und Geschrei, zischten Strahlen der Gammapistolen, surrten die Räder von Robotfahrzeugen ... Kurz entschlossen schwang er sich in den Aufzugschacht und begann abwärts zu klettern.

Er war ganz auf sein Gefühl angewiesen. In der ersten Hast

glitt sein Fuß von der Stütze, und er pendelte, an den Fingern hängend, über dem Abgrund. Aber rasch fanden seine Füße wieder Halt. Nun stieg er zügig in das Schwarz hinab und vergaß nicht einmal zwischendurch nach den Absätzen der Türen zu tasten, um die Nummern der Stockwerke mitzählen zu können.

Manchmal berührte er hängende Drähte, vielleicht nur momentan stromlose elektrische Leitungen, und er schauderte bei dem Gedanken, jemand könnte den Strom plötzlich wieder einschalten, die Leitungen könnten Spannung bekommen, die magnetischen Türen könnten sich hermetisch schließen, die Kabine könnte sich auf ihn heruntersenken, ihn abstreifen oder zerdrükken. Trotzdem überhastete er nichts, und er kam wohlbehalten in die fünfzehnte Etage, von der aus die Verbindung zum Nachbargebäude bestand. So leise wie möglich näherte er sich dem Durchgang – hier war die Grenze des von den Revolutionären besetzten Teils –, und seine Vorsicht war berechtigt, denn er bemerkte einen Schatten, einen Polizisten, wie er an der Schirmmütze erkannte, als dieser einen Schritt zurücktrat und in das hellere Licht der beidseitigen Fensterwände geriet. Seine Vorsicht nützte aber nichts, denn jetzt tönte eine blecherne Stimme aus dem Lautsprecher:

»Achtung. Posten 17. Ein Mann nähert sich. Noch 22 Meter Abstand. Jetzt steht er still . . .«

Mortimer drehte sich um und lief davon. Er hielt sich im Schatten. Natürlich, die automatischen Überwachungsorgane! Sie brauchten kein Licht – sie reagierten auf Wärme.

Wärme? überlegte er. Vielleicht ließen sie sich täuschen! Wie konnte er seine Körperwärme ausschalten? Wasser! war sein nächster Gedanke. Kaltes Wasser, Verdunstungskälte! Er wußte, wo die Waschräume lagen, betrat den nächsten und stellte sich mit der Kleidung unter die Dusche. Das Wasser lief, welch ein Glück! Es übersprudelte ihn eisig, aber er drehte den Hahn nicht wieder um, bevor er nicht durch und durch naß war. Er zitterte vor Kälte, aber die Erregung überdeckte jeden Gefühlseindruck, der nicht mit seiner Sicherheit zusammenhing. Wieder näherte er sich dem Posten ... bei 22 Meter schien der kritische Punkt zu sein ... jetzt befand er sich etwa dort, wo ihn das Wärmeauge erfaßt hatte ... Er schlich darüber hinweg ... zwanzig Meter mußten es jetzt sein, fünfzehn, zehn ... Der Polizist drehte sich jäh um, schien zu lauschen.

Jetzt rannte Mortimer los, auf den Posten zu. Er vertraute darauf, daß sich nur wenige menschliche Polizisten im Regierungszentrum befanden, und daß ein unwichtiger und jedem Fremden unbekannter Ausweg nur von einem einzelnen Mann besetzt sein würde ...

Der Polizist fuhr herum, sah offenbar nichts ... schon war Mortimer bei ihm ... da drang vom anderen Ende des Ganges ein fluoreszierender Strahl hervor ... Mortimer warf sich auf den Polizisten, duckte sich hinter ihm ... das war seine einzige Rettung ... ob nun der Schütze ein Mensch war oder ein Roboter – jeder Polizeiangehörige trug ein besonderes Gewebe in seine Uniform verarbeitet, durch das der eine tausendstel Sekunde dauernde schwache Teststrahl so reflektiert wurde, daß sich die Waffe selbsttätig ausschaltete. Mortimer hielt den überraschten Mann umklammert, und als dieser sich nun zu wehren begann, versetzte er ihm einen Faustschlag auf die Stirn oberhalb der Nasenwurzel, wodurch er außer Gefecht gesetzt wurde. Dennoch blieb Mortimer nichts anderes übrig, als ein neuerlicher Rückzug. Den halbbetäubten Polizisten hinter sich nachschleifend kroch er zurück, und als er rückwärtsblickend eine Gestalt im Durchgang auftauchen sah, nahm er die Gammapistole des Polizisten an sich und sandte einen Strahl zurück; dabei zielte er wohlweislich neben den Gegner, um das selbsttätige Ausschalten zu verhindern. Doch die Warnung genügte, der Verfolger zog sich zurück, und Mortimer sprang nun auf und rannte davon, wobei er den Strahler mitnahm. Jetzt besaß er wenigstens eine Waffe.

Was tun? Er schien nicht weiter verfolgt zu werden, was bei der jetzigen zahlenmäßigen Minderheit der Polizei auch logisch war, aber diese Sachlage konnte sich jeden Moment ändern. Die

Entsatztruppe war sicher schon gelandet und mochte sich schon in der Nähe befinden.

Noch einmal ließ sich Mortimer die Umrisse des Bürotraktes durch den Kopf gehen, und dabei kam er auf eine Idee.

Er mußte ins nächsthöhere Stockwerk! Diesmal benutzte er die Nottreppe, deren Tür er öffnete, indem er das Schloß mit einem Gammastrahl aufschmolz. Dann lief er in dieselbe Richtung wie vorher – auf den Brückengang zu. Diese Etage befand sich in der Höhe von dessen Dach. Durch das Fenster konnte er es vor sich liegen sehen, glatt, nach beiden Seiten abfallend, mit grün blinkenden Kanten, aber doch ein einladender breiter Weg. Es war unwahrscheinlich, daß sich hier ein Wachtposten befand. Trotzdem war Eile geboten. Mit der Gammapistole schnitt er die Kunststoffscheibe des Fensters auf. Er kroch durch die Öffnung und rutschte im Reitsitz zur gegenüberliegenden Gebäudefront. Obwohl sich die Dachkanten über eineinhalb Meter von ihm befanden, schwindelte ihm, und die glatte Fläche, auf der er saß, schien sich zu heben und zu senken wie ein Schiff bei hohem Seegang. Seine Kleidung war noch feucht, und er fürchtete, jeden Augenblick abzurutschen. Ein paar Sekunden lang schloß er die Augen und versuchte sich zu sammeln. Dann öffnete er sie wieder, zwang sich, seinen Blick nicht von dem stumpf gewinkelten Grat abschweifen zu lassen, und schob sich so geräuschlos wie möglich weiter. Am gegenüberliegenden Fenster angekommen, hob er den Gammastrahler. Mit einem leisen Zischen wanderte der glühende Punkt über das Kunstglas und hinterließ einen dünnen Schnitt. Mortimer schloß den Kreis nicht ganz, um den Lärm einer hinunterpolternden Scheibe zu vermeiden, sondern bog sie zurück. Er spähte in den Raum, und da er niemand sah, schlüpfte er hinein.

Dann prallte er zurück, denn plötzlich befand er sich inmitten eines aufgeregten Pfeifens und Quiekens, aber schon verriet ihm der scharfe Geruch von tierischen Ausscheidungen, daß er sich in einem Raum mit Versuchstieren befand. Er versuchte, die Dämmerung zu durchdringen, er erwartete Käfige zu sehen, aber dann streifte etwas an sein Bein, etwas sprang auf seine Schulter, und schon spürte er einen scharfen Biß im Genick. Er mußte in einen Raum geraten sein, der als Stall diente, und nun nahmen seine Augen auch schon die spitzen Körper großer weißer Ratten aus, die in einiger Entfernung von ihm hin und her flitzten, als überlegten sie noch, ob sie ihn angreifen sollten oder nicht. Voll Ekel streifte Mortimer das schwere Tier von seiner Schulter und lief zur Tür. Sie war verriegelt, doch glücklicherweise ließ sie sich von innen öffnen, und er hastete hinaus, einen Schwarm pfeifender Ratten hinter sich herziehend.

Er befand sich im biologischen Trakt, einem Gebäudeteil, den er nur flüchtig kannte, aber er wußte ungefähr, wo er sich befand, und konnte die Richtung schätzen, in die er seine Flucht fortsetzen mußte.

Die Ratten blieben hinter ihm zurück, sie schienen sich in den Gängen zu verteilen, denn dann und wann vernahm er leises Trappen und tonlose Pfiffe. Als er an einem breiten Fenster vorbeikam, warf er einen Blick hinaus und sah einige offene Lastwagen heranrollen, von Uniformierten besetzt. Da sie zweifellos zuerst den Bürotrakt abriegeln würden, rechnete er sich eine reelle Chance zur Flucht aus.

Mortimer hatte sich von dem Schreck seines Erlebnisses mit den Ratten noch nicht erholt, und darum vermied er es, sich unnötig lange in unbekannten Regionen aufzuhalten – er dachte an Hochspannung, Tieftemperaturen, Neutronenstrahlen, giftige Sterilisationsgase. Als er die Statistische Abteilung erreichte, in der er sich oft aufgehalten hatte, atmete er auf. Hier konnte ihm nichts mehr passieren – hier gab es elektronische Schaltungen, Schreib- und Lesegeräte, Analysatoren, aber keine Ratten.

Als er nach einer unbehinderten Liftfahrt unten im Erdgeschoß ankam, rollte ein Robotfahrzeug auf ihn zu. Einen Augenblick drängte es ihn, die Gammapistole emporzureißen und der Maschine einen sengenden Strahl entgegenzuwerfen, dann merkte er aber, daß es kein Polizeicar war, sondern eines vom allgemeinen Überwachungsdienst.

»Sonderkontrolle«, kündigte das Mikrophon mit der angenehmen Stimme des offiziellen Nachrichtensprechers an, dessen Modulation allen automatischen Sprechsystemen zugrunde lag.

»Ich bin Stanton Baraval. Ich hatte Überstunden«, erklärte Mortimer.

»Stimmfarbe in Ordnung«, beschied der Roboter. »Irisprüfung!«

Mortimer legte das Kinn auf den dafür bestimmten Bügel, und ein greller Blitz blendete sein linkes Auge.

»Irisbild in Ordnung. Blutanalyse.«

Mortimer setzte den Finger auf die Prüfplatte und fühlte den feinen Einstich. Es schien glatt vorüberzugehen, aber er verlor kostbare Sekunden.

»Blut in Ordnung«, erklärte der Automat. »Passieren!«

Aufatmend öffnete Mortimer die Tür – und zuckte zurück. Rechts neben ihm schien sich ein Kampf abzuwickeln, aus einer Garage liefen die violettglühenden Fäden eines Raketengewehrs, während es in der Umgebung knatterte – sie warfen Gasbomben, wahrscheinlich um die Eingeschlossenen lebendig zu fangen. Dann blieben die Lichtspuren plötzlich aus, und ein Polizeiwagen löste sich aus dem Schatten der Deckung und näherte sich der Garage, offenbar um festzustellen, ob das Gas seine Wirkung getan hatte. Unvermittelt blieb es stehen, und schon splitterte das große Garagentor, und ein Panzerwagen schoß heraus, bog um die nächste Ecke und raste hinaus ins freie Gelände. Fast augenblicklich flitzten einige Sitzroller hinterher. Eine Minute später hatte der Panzerwagen die Glasmauer erreicht und sie dröhnend durchbrochen. Zwar kamen die Verfolger nur Sekunden später an und verschwanden durch die Öffnung, aber Mortimer hatte den Eindruck, daß die Flucht gelungen war. In den Grünanlagen konnte man leicht entkommen.

Sie waren auch sein Ziel. Mortimer beschloß, alles auf eine Karte zu setzen. Er lief hinüber zur Garage, ohne auf Deckung zu achten, schwang sich auf einen Sitzroller und lenkte ihn ebenfalls zur frisch geschlagenen Bresche. Kurz davor hielt er an und stieg ab. Er vermochte keinen Menschen zu erblicken ... trat hindurch, sah sich noch einmal kurz um ... So leicht war das gewesen! Von hier aus gab es unzählige Wege durch den großen Park, und dieser ging ohne Sperren in das Wohnviertel über.

Von links hörte er Schüsse, also lief er nach rechts. Ungefährdet kam er in die Stadt. Man merkte, daß etwas Ungewöhnliches geschehen war. Es war noch Nacht, und trotzdem standen Menschengruppen diskutierend herum. Mortimer wunderte sich zuerst darüber, daß keine Ausgangssperre verhängt war, daß nicht Polizeitruppen das Bild beherrschten. Doch dann erinnerte er sich daran, daß seit dem Aufflammen des Aufstands – so schwer das zu glauben war – nicht einmal eine Stunde vergangen war. Alle erwarteten Schutzmaßnahmen würden noch getroffen, daran war nicht zu zweifeln, aber erst einmal war die Polizei mit den Revolutionären im Zentrum beschäftigt. Den Zeitvorteil, den er besaß, mußte er nutzen. Um sich mit seiner zerfetzten Kleidung nicht den Blicken anderer auszusetzen, suchte er so rasch wie möglich ein Fahrzeug zu bekommen. Ein Automatentaxi brachte ihn zum Flughafen, und er betrat die große Wartehalle, von der aus ein guter Überblick über das Startgelände möglich war. Ja, da drüben stand es noch, das Schiff aus dem hellen neuen Kunststoff, stolz und unberührt von allem Geschehen innerhalb des menschlichen Siedlungsgebiets, blendend eingerahmt vom flach einfallenden Licht der Sonne, deren Stand sich kaum verändert hatte. Rasch orientierte sich Mortimer. Dort mündeten die Gangways zum zivilen Startgelände, und dort drüben links jene des Raummarine-, des Forschungs- und des Transportsektors. Die meisten von ihnen waren eingefahren, ihre Glasdächer und -wände teleskopartig übereinandergeschoben, nur einer lief hinaus aufs Feld, und das war jener, der zum Startgerüst des neuen Forschungsschiffes führte. Mortimer nahm das als ein gutes Zeichen. Bisher war er nicht sicher gewesen, ob er nicht einem Phantom nachjagte, wenn er sich gerade dieses Schiff zum Ziel nahm. Nun aber hoffte er, die Andeutung Maidas richtig ausgelegt zu haben. Er überlegte, wo der Zugang zu diesem Verbindungsgang sein könnte, und wandte sich nach links. Die Gammapistole, die er bisher unter dem Jackett verborgen hatte, holte er nun wieder hervor – niemand hatte Anlaß, ihn jene Teile des Flughafens betreten zu lassen, die den gewöhnlichen Passagieren verboten waren. Er ging rasch auf eine Tür zu, von der er annahm, daß sie ihn zum Forschungssektor führen würde, und wunderte sich darüber, daß er nirgends einen Menschen sah. Trotz der späten Stunde und des Robotdienstes, der einen Großteil des Personals überflüssig machte, hätten zumindest ein paar Aufsichtsorgane da sein müssen. Und dann sah er sie, als er unvermittelt einen Blick über eine Pultbarriere warf – da lagen drei oder vier Männer in Uniformen ohnmächtig am Boden.

Mortimer hörte ein Geräusch hinter sich ... noch ehe er sich umdrehen konnte, erhielt er einen schmerzenden Handkantenschlag gegen den Arm, seine Waffe polterte zu Boden ... Jemand riß ihn herum, zog ihn durch die Tür, und er stand vor zwei Bewaffneten.

»Wer bist du? Was willst du hier?« fragte der eine.

»Los, geben wir ihm eine Ladung!« drängte der andere und hob die Gaspistole.

Mortimer duckte sich, als könnte er sich dadurch vor dem betäubenden Dampf schützen, aber der Mann schoß noch nicht. Blitzschnell wurde es Mortimer klar, daß das keine Angehörigen einer regulären Institution waren, sondern daß sie zu den Liberalen gehören mußten.

»Ich bin einer von euch«, sagte er schnell. »Ich bin Mortimer, Mortimer Cross.«

»Mir unbekannt!« Der Mann wiegte den Kopf. »Mitkommen.«

Von dem dritten, der ihn noch immer hielt, bekam er einen Stoß. Sie dirigierten ihn zu einer der Gegensprech- und Gegensichtanlagen, mit denen normalerweise der Bodentrupp mit der Kanzel der von ihm betreuten Rakete verbunden war. Auf dem Sichtschirm erschien nun ein Gesicht, das er kannte, die

Züge von Breber, auf dem sich kein Schimmer des Erkennens zeigte.

»Der Mann behauptet, er gehört zu uns«, meldete der Führer des kleinen Trupps. »Angeblich heißt er Mortimer Cross.« Breber verzog keine Miene.

»Ist nicht vorgesehen – betäubt ihn.«

Noch ehe Mortimer das Urteil, das damit über ihn verhängt war, erfaßte, erschien ein anderes Gesicht auf der Leuchtscheibe, das Gesicht eines Mädchens.

»Maida!« schrie Mortimer.

»Breber irrt sich!« rief das Mädchen. »Er gehört zu uns. Laßt ihn herein!«

Für Sekunden war die wutentbrannte Fratze Brebers zu sehen, dann wurde der Schirm dunkel. Der Mann mit der Gaspistole zuckte die Schultern und hob wieder seine Waffe ... Da unterbrachen ihn laute Rufe, die aus dem Wartesaal kamen. Während einer von Mortimers Bewachern seine Pistole in dessen Rücken bohrte, spähten die beiden anderen durch die Tür. In weiten Sprüngen eilte ein Mann herbei.

»Ich bin es, Guido«, brüllte dieser mit sich überschlagender Stimme. »Sofort starten, sie sind hinter mir her!«

Gerade, als er sich durch die Tür warf, tauchte hinten ein Rudel Verfolger auf. Einige Lichtspuren zuckten quer durch die Halle, aber auch die Aufrührer schossen zurück und brachten die Verfolger zum Halten. Dann aber lösten sich fünf Robotwagen aus dem Hintergrund und kamen beängstigend rasch näher.

»Nichts wie fort!« rief Guido.

Die Cars erschienen nun schon vor der Tür. Die Männer drehten sich schleunigst um und liefen durch einen kleinen Aufenthaltsraum in den Gang. Sie kümmerten sich nicht mehr um Mortimer, und dieser lief ihnen, ohne lange zu überlegen, nach. Vor ihnen öffnete sich eine Tür, und sie stürzten hinein. Eine Panzerplatte kippte hinab, eine zweite Tür öffnete sich, sie sprangen aus der Schleuse ins Innere des Schiffs. Eine Klingel gellte. Die freundliche Stimme einer Automatik wiederholte

ständig: »Achtung, Schnellstart. Achtung, Schnellstart . . .«, unbeirrt, als handelte es sich um eine Einladung zum Tee. Und
dann erscholl ein Tosen, das Schiff zitterte und ächzte, und mit
einemmal griff die Kraft des Andrucks nach ihnen, und sie lagen
am Boden, kreuz und quer, wie sie gerade hingesunken waren,
niedergequetscht wie von einem mächtigen Fuß.

10

Als sie wieder denken konnten, befand sich das Schiff fünfzig
Kilometer über dem Mond.

Der Andruck war außerordentlich stark gewesen, und er hatte
sie nicht in weichen Schaumgummipolstern, sondern auf dem
harten Boden überrascht. Mortimer fühlte sich wie gerädert, und
aus den verkniffenen, bleichen Gesichtern der anderen ersah er,
daß es ihnen auch nicht besser ergangen war. Einer blutete stark
aus der Nase, und ein anderer holte die Splitter einer Whisky-
flasche aus seiner Jackentasche hervor. Jeder hatte mit sich selbst
zu tun, und sicher war das auch der Grund dafür, daß sich niemand um Mortimer kümmerte. Er rappelte sich auf, überzeugte
sich davon, daß er noch heil war, und ging dann unschlüssig den
in einem Bogen rundumführenden Gang entlang.

Er war noch nicht weit gekommen, als eine Schiebetür auf-
glitt, und Maida darin erschien. Sekunden später hing sie an seinem Hals. Sie küßte ihn, und er spürte den salzigen Geschmack
von Tränen. Auch ihm saß ein seltsames Gefühl hinten im
Gaumen, er sprach nicht, denn seine Stimme hätte sicher seltsam
geklungen, er streichelte nur unbeholfen ihren Rücken.

Eine Stimme riß sie aus der Versunkenheit.

»Verdammt, macht Platz!« Der Mann hatte Mühe, eine
schwere Verbandkiste auf Rollen durch den Gang zu bewegen –
die Beschleunigung lag noch immer merklich über einem g –, und
kümmerte sich nicht weiter um die beiden.

Mortimer räusperte sich.

»Ohne dich läge ich jetzt bewußtlos im Raketenhafen.«

»Sprich nicht davon!« bat Maida. Ihr Gesicht war verschlossen, als schämte sie sich.

Auch Mortimer war verlegen, und darum klang es hart, als er sagte: »Die Flucht war also auch geplant.«

»Als letzter Ausweg – ja«, bestätigte Maida.

»Und ich hätte zurückbleiben sollen!« stellte Mortimer fest.

»Ja, du hättest zurückbleiben sollen. Denn es handelt sich um keine Flucht aus Feigheit, wie du offenbar glaubst. Ihr einziger Zweck ist es, den Gedanken an die Revolution nicht sterben zu lassen. Dazu brauchen wir all jene, die bewiesen haben, daß sie über die Kraft verfügen, immer wieder von Neuem zu beginnen.«

»Und ich gehöre nicht dazu«, bemerkte Mortimer wieder im Ton einer nebensächlichen Feststellung. Maida sah ihn prüfend an. »Nein«, antwortete sie dann. Nun lächelte sie ein wenig traurig. »Du nicht.«

»Und warum hast du mich gerettet?« bohrte Mortimer.

Ihre Gesichtszüge verhärteten sich wieder. »Weil ich dumm war, dumm und sentimental.« Sie drehte sich entschlossen um und ließ ihn stehen. Mortimer war zu müde, zu abgespannt und zu enttäuscht, als daß er jetzt noch zu einer wenn auch nur inneren Auflehnung fähig gewesen wäre. Nur eine tiefe Niedergeschlagenheit nahm von ihm Besitz, ein Gefühl der absoluten Leere, die Einsicht verzweifelnder Sinnlosigkeit. Er stand da, in einem öden Stück Gang, inmitten von Menschen, mit denen er nichts gemeinsam hatte, ausgelaugt und nur von einem Wunsch beseelt: sich hinsinken zu lassen, zu schlafen, zu sterben …

Eine Stimme aus dem Lautsprechersystem riß ihn aus einer Art Bewußtlosigkeit. Er fand sich an die Wand gelehnt, mit geschlossenen Augen, er hatte auch kein Verlangen, die Augen zu öffnen, aber die Ohren konnte er nicht verschließen.

»Alle Mann auf Deck A!«

Der Befehl wurde mehrfach wiederholt, und schließlich riß er sich aus seiner Lethargie, weil es einfach keinen Sinn hatte, in einer Ecke stehen zu bleiben und nicht mehr hören und sehen, empfinden und denken zu wollen. Er richtete sich auf, als wäre er eben erwacht, und verstand zum ersten Male den Sinn der Worte: »Alle Mann auf Deck A!« Zwar wußte er nicht, wo Deck A war, aber einige Männer eilten an ihm vorbei, soweit es die erhöhte Schwere zuließ, und er folgte ihnen.

Deck A war ein Raum im Vorderteil des Schiffs, der bis auf die Schächte der Treppe und des Lifts dessen vollen Umfang erfüllte – eigentlich ein Durchgangsraum zwischen der Zentrale und den Befehlsständen ganz vorn im Bug und den übrigen Räumen im mittleren Sektor. Es gab keine Fenster, wie auch sonst nirgends in den Gängen, die er bisher berührt hatte, und man hätte meinen können, im Kellergeschoß eines Kraftwerks zu sein, dessen Generatoren ihre Vibration tief in die Erde hineinschickten, so daß man sie mehr hören als spüren konnte.

Mortimer war einer der letzten, die ankamen. Etwa fünfundzwanzig Männer und zehn Frauen hatten einen Halbkreis gebildet und sich wegen der drückenden Schwere auf den Boden gekauert. Im Brennpunkt saß Niklas in seinem Rollstuhl, hinter ihm hatte sich genauso wie seinerzeit bei der ersten Begegnung der magere junge Mann mit den gefletschten Zähnen postiert; neben ihm, auf einem Hocker, saß Guido, der einen Verband um den Hals trug. Außer ihnen kannte Mortimer nur noch Breber, der in der ersten Reihe der Zuhörer kauerte, und Maida, die sich sitzend an die Rückwand lehnte. Sicher waren auch die Wachtposten dabei, die ihn im Flughafen empfangen hatten, aber er erinnerte sich nicht mehr an ihre Gesichter. Ein Mann rückte beiseite, Mortimer nickte ihm zu und ließ sich neben ihm nieder.

Niklas hob die Hand. Die letzten geflüsterten Worte verstummten.

»Kameraden«, begann Niklas. »Der Anlaß dieser Zusammenkunft ist traurig, aber wir müssen den Tatsachen ins Auge sehen. Unsere Revolution ist gescheitert. Was wir jahrelang vorbereitet haben, wofür wir gelebt und gekämpft haben, ist mißlungen.

Ihr könnt nun fragen, Kameraden, wie es dazu kam, wieso ein Plan wie unserer, durchdacht und erprobt bis ins letzte Detail, einen Fehler haben könnte. Ihr habt das Recht dazu. Heute will ich euch nur antworten: Verrat. Es kann nicht anders sein: Wir sind verraten worden!«

Ein aufgeregtes Gemurmel lief durch die Reihen. Niklas hob die Hand.

»Ich werde eine Kommission einsetzen, die das untersucht. Sie wird darüber berichten.« Niklas hob den Kopf, und seine erschreckenden, von Haftscheiben bedeckten Augen starrten hinauf zur Decke. Es war einer der seltsamen Augenblicke, in denen er seine gleichsam aufs Gesicht gefrorene Maske verlor und sich seine Züge verzerrten, wie eine dünne Eisschicht, die in der Hitze schmilzt. Er sah aus wie der blinde Sänger, ein Wissender, der noch im Untergang seine prophetischen Worte hinausschreit.

»Trotz allem, Kameraden – wir geben nicht auf! Wir sind nur noch wenige, aber wir sind genug, um den Funken einer unabdingbaren Freiheitsliebe zu bewahren. So lächerlich es scheinen mag, aber wir sind genug, um unser Ziel zu erreichen. Wir sind die Elite, an der die jetzigen Machthaber letzlich doch scheitern müssen. Jetzt sind wir auf der Flucht, doch einst kehren wir zurück und schenken der Menschheit die Freiheit wieder!«

Niklas reckte sich noch einmal in seinem Stuhl hoch, dann sank er erschöpft zusammen, den Kopf auf die Seite gelegt, als wäre er ihm zu schwer.

Eine Weile war alles still, dann rührte sich der blasse, junge Mann, der bisher reglos hinter Niklas gestanden hatte, und schob den Rollstuhl in die Liftkabine.

Nun trat Guido vor. »Ich möchte noch einige Hinweise zur Lage geben. Wir haben dieses Schiff gekapert – eine Maßnahme im Rahmen unseres Anschlags auf das Regierungszentrum, die den Zweck hatte, im Fall eines Mißlingens eine kleine Gruppe unserer Besten vor dem Untergang zu bewahren. Niklas hat euch mitgeteilt, welche Aufgabe ihr habt. Ich glaube, wir müssen diesen Mann bewundern, der nie den Mut verliert, und wenn es noch so aussichtslos erscheint. Wir können froh sein, ein solches Vorbild zu haben!«

Ein dumpfes Klopfen vieler Knöchel auf den Kunststoffboden zollte ihm Beifall – es klang wie der Einschlag von Hagel auf ein Blechdach, und es verstummte jäh, als schreckten die Zuhörer vor dem Mißklang des Geräusches zurück.

»Unsere Lage ist ernst«, fuhr Guido fort, »aber sie ist nicht verzweifelt. Wir haben sogar eine Trumpfkarte im Spiel: dieses Schiff. Es handelt sich um eines jener Projekte der Wissenschaftler, mit denen sie das Geld vergeuden, das dem Volk gehört. Anstatt den Menschen ein besseres Leben zu bieten, wollen sie fremde Welten erreichen. Dieses Schiff sollte als erstes den interstellaren Raum überwinden, hinaus zu benachbarten Sonnen vordringen.«

Wieder ging eine Welle von Geraune durch die versammelten Menschen. Guido erhob die Stimme, um die Unruhe niederzuschlagen.

»Aber wir haben von diesem Vorhaben rechtzeitig erfahren, und wir sind froh, daß wir es verhindert haben. Nicht daß wir etwas gegen Weltraumfahrt haben – aber zuerst kommen andere Aufgaben, Naturschutz, medizinische Forschung, eine individuelle Erziehung zu kritischen Menschen, die Förderung der Künstler.«

Wieder pochten einige beifällig auf den Boden. »Dieses Schiff kommt uns nun gerade recht – es ist für eine jahrelange Expedition eingerichtet, es bietet Lebensbedingungen, wie sie es noch nie auf einem Raumfahrzeug gegeben hat. Seine Hülle besteht aus einem neuen, außerordentlich hitzebeständigen und protonenabsorbierenden Keramikmaterial. Und es ist schnell – es erreicht Geschwindigkeiten, wie sie bisher nur den Teilchen in den Synchrotronanlagen erteilt werden konnten. Das heißt – wir sind vor allen Verfolgern sicher.«

Jetzt riefen sie durcheinander und klatschten in die Hände. Sie hatten dreißig Stunden lang nicht geschlafen, und jetzt war es die Hoffnung, die sie ihre Müdigkeit vergessen ließ.

»Und nun endlich die angekündigten praktischen Hinweise:
Wir werden hier einen 24-Stunden-Tag einhalten wie auf der
Erde und in allen von Menschen besetzten Stationen im Sonnensystem. Jetzt brauchen wir vor allem Ruhe, Kameraden, und
darum setze ich diesen Augenblick als Nullpunkt unserer Zeit-
rechnung an. Richtet bitte eure Uhren!« Es geschah, und Guido
sagte mit schlecht unterdrückter Rührung in der Stimme: »Damit beginnt nicht nur ein neuer Tag, sondern ein neuer Abschnitt
unseres Lebens!« Er wehrte neue Beifallskundgebungen ab und
fügte nun ohne Pathos hinzu: »Spencer kennt ihr alle. Er wird
euch jetzt die Kabinen anweisen. Natürlich bleibt eine Wach-
mannschaft auf Posten. Morgens um sechs Uhr wird geweckt.
Ich danke euch, Kameraden. Gute Nacht.«

11

Die Schlafplätze waren verlost worden, und Mortimer hatte das
Glück, eine Einzelkabine zu bekommen, eigentlich nur einen
winzigen Verschlag, dessen Einrichtung aus einem Stuhl, einer
ausklappbaren Tischplatte, einem Wandschrank und dem Lager bestand. Diesem Lager war der größte Komfort gewidmet.
Seine Unterlage bestand aus einer Schaumgummimatratze, in die
als Mulde die Körperform eines erwachsenen Menschen einge-
senkt war. Es gab keine Decken oder Kissen, aber eine Menge
von Düsen, Antennen, Netzen, oder zumindest von Dingen, die
so ähnlich aussahen, und Mortimer nahm an, daß es sich um Be-
standteile einer Klimaanlage handelte, die die Temperatur, die
Feuchtigkeit der Luft und ihre Zusammensetzung, sowie andere
ihm unbekannte, aber zum Wohlbefinden des Menschen nötige
Größen regelte, so daß keine Decken und dergleichen nötig waren. Es gab auch ein System von Hebeln, deren Aufgaben er
nicht kannte, aber er brauchte sie nicht. Er entkleidete sich bis
auf die Unterwäsche, kletterte in die Koje und breitete die Hose
über seine Füße.

Er mußte sofort eingeschlafen sein, denn als er später versuchte, die Vorgänge zu registrieren, kam ihm keine Einzelheit in den Sinn, kein Hinweis darauf, daß er sich auch nur einmal umgedreht hatte. Später aber, erinnerte er sich, hatten ihn Beklemmungen überfallen; plötzlich ertappte er sich dabei, daß ihm der Angstschweiß auf der Stirn stand, er hatte das Gefühl, erdrückt zu werden, ohne daß er ganz aufwachte. Er gab sich selbst die Erklärung dafür: die ungewohnte Lage, die überhöhte Schwerkraft, aber zugleich kreisten wirre Gedanken durch sein Hirn, Szenenfetzen aus den letzten Tagen und Stunden. Maida erschien ihm mit einem spukhaft verzerrten Gesicht. Er wußte, daß es die Ausgeburt eines fiebrigen Traumes war und mühte sich doch vergeblich, ihre richtigen, zarten und doch eigenwilligen Züge zu beschwören, er dachte an ihre mageren Wangen, an das schwarze Haar, aber er dachte nur die Worte und fand nicht die Bilder dahinter, und außerdem saß noch etwas Unausgesprochenes, Undenkbares schreckhaft im Hintergrund, und in der Rückschau meinte er, es wäre so etwas wie eine Ahnung gewesen, eine vage und darum um so unangreifbarere Angst vor Gewalten, die Gedanken lesen und belauschen konnten, die tief eindrangen in sein Wissen und Wollen und sich dort umtaten, wie es ihnen gefiel, ohne von irgend etwas daran gehindert zu werden.

Er mußte um sich geschlagen haben, denn er erinnerte sich daran, mit dem Handrücken schmerzhaft an einer Kante aufgeprallt zu sein, und da erwachte er augenblicklich – wie durch einen Sturz in heißes Wasser – und lag da, horchte in das Dunkel, fühlte etwas Unbekanntes auf sich zukommen, bäumte sich plötzlich auf und stieß auf eine weiche Masse, die schon dicht über ihm war, ihn zu bedecken suchte und sich nicht aufhalten ließ, so verzweifelt er sich auch dagegenstemmte. Seine Hände tasteten fieberhaft umher und fühlten eine Schale, die mit Schaumgummi überzogen war wie die Bettunterlage, eine Hohlform wie jene, geeignet mit ihr zusammen einen menschlichen Körper einzuschließen, eng und lückenlos wie eine Gußform. Er hatte den Eindruck, zermalmt zu werden, konnte den Körper nicht mehr durch den nur noch engen Zwischenraum quetschen, sank zurück, ruderte mit Armen und Beinen, bis auch diese sich in den für sie vorgesehenen Vertiefungen fingen, zuckte noch wie im Krampf, meinte zermalmt zu werden, merkte, daß sich die Form seinem Körper anpaßte, machte einen vergeblichen Versuch zu atmen und wollte sich zusammenkrümmen in der Verzweiflung des Erstickens. Er rang nach Luft, brachte keine Bewegung mehr zustande, war eins geworden mit der heimtückischen Falle aus Kunstleder, Schaumgummi und Polyäthylen und wollte sich schon dem Unabwendbaren fügen ...

Und dann war sein Körper plötzlich stillgelegt, vielleicht vereist, vielleicht betäubt, vielleicht überhaupt nicht mehr vorhanden, aber es war nicht das Nichts, die absolute Schwärze, Lautlosigkeit, Gefühlsleere, die ihn aufsog, sondern er sah verschwommene Bilder aufglimmen, er bemerkte fremde Menschen, einen vornehmen alten Mann mit kurzgeschorenen weißen Haaren und schlanken Fingern, die sich ineinander verschränkten, sich lösten, tasteten und spielten; ein Gesicht, das von gelblichbrauner, tiefgerunzelter Haut umspannt war, ein anderes Gesicht mit großen, treuen, braunen Augen, jungenhaft und uralt zugleich, einen schmalen schlanken Rücken unter einem weißen Mantel, ungebändigtes Haar, das Profil einer jungen Frau, oder eines Mädchens, Lichtreflexe an der Wange, eine zierliche Nase, ein schmales Kinn; er fing Regungen dieser und anderer unbekannter Personen auf, dann einen kurzen Impuls, der sich auf ihn selbst richtete. Er spürte ein Gewirr von Gedanken, und dann wurde eine Stimme laut – diesmal war es nicht die Stimme des Chefansagers –, und sie sprach Worte, die er zwar nicht hörte, aber auf irgendeine andere, nicht weiter deutbare Weise erfaßte:

Was ihr tut, ist töricht! Eure Ideen sind überholt. Euer Vorhaben hat keine Chance. Was geschieht, geschieht nicht nach eurem wirklichen Wollen. Überzeugt euch davon! Macht eine geheime Abstimmung, in der jeder das angeben kann, was er wirk-

lich will! Stellt auch Möglichkeiten zur Debatte, die eurer offi-
ziellen Weltanschauung entgegengerichtet sind! Erwägt eine
Rückkehr auf die Erde! Eine heimliche Landung in einem der
einsamen Naturschutzparks. Mischt euch unter die normalen
Menschen und versucht bürgerlich zu leben wie sie. Laßt ab von
euren verzerrten Idealen und kostet noch ein Qentchen Zu-
friedenheit wie alle anderen der 60 Milliarden, die die Erde
heute bevölkern.

Mortimer spürte die Aufrichtigkeit der übermittelten Gedanken, doch waren sie nicht im geringsten suggestiv, und er fühlte
sich auch nicht hypnotisiert oder sonst irgendwie geistig überrumpelt. Er konnte sie klar und unbeschwert durchdenken, befreit von Gefühlsballast und der Ablenkung der Sinne. Er konnte sie aufnehmen, nicht weil er einem bezwingenden Klang er-
lag, sondern weil er sie als logisch anerkannte. Aber während
man für intuitives Erfassen, für das Hinwenden zu einer Person
oder einer These, nur Augenblicke braucht, sind Zeit und Denk-
arbeit nötig, um die Folgerichtigkeit eines Schlusses einzusehen ...

Er gewann seine Ruhe wieder, wurde Herr seines Denkens,
löste sich von den äußeren Eindrücken, versuchte sich über die
Möglichkeiten des Handelns klarzuwerden, die ihm in seinem
abnormen Zustand verblieben waren, fand sich durch einige ta-
stende Gedankenversuche, die schwer zu beschreiben waren, in
seiner Hoffnung bestätigt. Schließlich stellte er sich vor, daß sich
die Decke von seinem Körper höbe, er wartete ... nichts geschah, doch er ließ keine Enttäuschung aufkommen, bemühte sich
um die Realisierung seines Wunsches gedanklich auf allen möglichen seltsamen verschlungenen Wegen – es war, als stimmte er
ein Instrument an, das er nicht kannte, als lauschte er den an-
gerührten Tönen, um die Weiterführung des Experimentes von
den bisherigen Ergebnissen abhängig zu machen. Auf einmal
spürte er einen Luftzug ... bemühte sich, die eingeschlagene Art
seines gedanklichen Tastens beizubehalten, es war mehr ein Tun
als ein Denken ... die lastende Hülle hob sich noch mehr und
gab ihn dann endgültig frei.

Wie mit einer Schalterdrehung änderte sich sein Bewußtseinshintergrund, etwas wechselte, ohne daß er hätte präzisieren können, was – es war wie die Veränderung der Geräusche beim Umschalten von einem Mikrophon aufs andere. Er stützte sich auf seinem Lager empor, blickte auf die Leuchtziffern seiner Uhr. Sie war nach Guidos neuer Schiffszeit eingestellt und zeigte halb zwei Uhr morgens. Mortimer fühlte sich benommen, als hätte er eine durchfeierte Nacht hinter sich. Wackelig stieg er vom Lager und tastete sich zur Tür.

Draußen brannte trübes Licht. Mortimer hatte sich den Weg gemerkt, und er kletterte über die Wendeltreppe durch den schmalen zylindrischen Schacht, der alle Stockwerke des Schiffs verband, empor zum Deck A, auf dem zwei Wachtposten zurückgeblieben waren. Auf sein Drängen hin führte ihn einer der Männer zu Guido und weckte ihn.

Guidos Kajüte war auch nicht größer als jene Mortimers, sie unterschied sich nur durch ein wenig mehr Komfort – zwei Stühle, ein im Boden verankertes Schreibpult. Guido winkte ihm, sich zu setzen.

»Also, was ist passiert? Aber mach's kurz, bitte!« Sein Halsverband sah aus wie ein weißseidener Schal und täuschte eine distanzierte Eleganz vor.

Mortimer berichtete von seinem seltsamen Erlebnis. »Es gibt hier irgendeinen Einfluß, der nicht unter unserer Kontrolle steht«, fügte er hinzu. »Vielleicht besteht eine Art Funkverbindung von der Erde oder vom Mondzentrum aus, die unsere Gehirne direkt beeinflußt. So etwas könnte gefährlich werden!«

Guido runzelte die Stirn. »Kann ich mir nicht vorstellen. Wir kontrollieren die Funkverbindung. Allerdings ...« Mortimer sah, daß der andere überlegte, ob er weitersprechen sollte oder nicht, »allerdings – es gibt da etwas, was ich noch nicht bekannt gegeben habe, um die Leute nicht zu beunruhigen.« Er warf Mortimer einen prüfenden Blick zu. »Na gut, morgen erfahrt ihr es ja doch: Es ist noch jemand an Bord, Menschen, die nicht zu uns gehören ... vielleicht haben die ...«

»Was für Menschen?« fragte Mortimer.

»Wissenschaftler«, antwortete Guido. »Ein paar Wissenschaftler, die mit dem Schiff einen Probeflug unternehmen wollten; darum war es startklar. Männer und Frauen. Wir mußten sie betäuben. Konnten sie nicht mehr vom Schiff schaffen.«

»Wo sind sie?«

Guido machte eine Geste mit der Hand, als finge er ein Insekt im Fluge.

»Im Lazarettraum eingeschlossen. War nicht schwierig, sie zu überwältigen. Sie alle sind lebensfremd, der Wirklichkeit entflohen, in ihren eigenen komplizierten Gedankenkonstruktionen verirrt. Wir haben sie überwältigt und betäubt.«

»Wenn das, was ich erlebt habe, von ihnen kommt, dann sind sie weder betäubt noch lebensfremd«, meinte Mortimer.

Guido sprang vom Bett herunter und knickte zusammen, weil er die erhöhte Schwerkraft nicht in Rechnung gezogen hatte. Er rappelte sich hoch und gab Mortimer einen Wink. »Komm, wir sehen nach!«

Sie kamen durch einige Gänge, kletterten durch die Schächte und gelangten in den Mittelteil, in dem auch die Laboratorien untergebracht waren. Vor einer Tür hockte ein Posten; er stand auf, als sie vor ihm stehen blieben.

»Was ist mit den Gefangenen?« fragte Guido.

»Was soll mit ihnen sein? Sie haben sich nicht gerührt.«

Guido lauschte an der Tür. Nach einer Weile befahl er: »Schließ auf, aber vorsichtig.«

Der Wächter klinkte die Verriegelung aus und öffnete die Rolltür einen Spalt weit. Auf diesen richtete er seinen Gammastrahler, eines Ausbruchversuchs gewärtig, aber es rührte sich nichts, und er schob die Tür vollends auf.

Etwa zwanzig Männer und Frauen befanden sich im Krankenraum. Sie hatten weiße Mäntel oder Overalls an, nur wenige trugen Zivilkleidung. Einige von ihnen lagen auf dem Boden und in den Krankenbetten, einige saßen auch schlaff in Operationsstühlen. Erregt erkannte Mortimer auf den Betten die beiden Männer und das Mädchen, die ihm während seines Traums, oder was es auch immer gewesen sein mochte, erschienen waren.

»Sie sind es«, sagte er. »Ich habe sie gesehen, wenn auch nur flüchtig. Aber es besteht kein Zweifel.«

»Sie sind noch ohnmächtig«, bemerkte Guido. »Wie sollen sie so kuriose Dinge veranlaßt haben, wie du sie erlebt haben willst!« Er trat an den zunächst liegenden Mann heran, kniete vor ihm nieder, hob seinen Arm, streifte seinen Ärmel zurück.

»Seltsam!« sagte er. »Schau doch, diese Haut!« Er drückte die Daumenkuppe in die Unterarmmuskulatur, und der Eindruck blieb bestehen wie bei Kuchenteig. Erst allmählich nahm die Haut ihre normale Form an.

Mortimer ließ sich neben Guido nieder und griff auch nach dem leblosen Arm – er fühlte sich kühl an, wie Plastilin. Rasch öffnete Mortimer den Reißverschluß an der Brust des Mannes, riß das Hemd auf und legte das Ohr auf die Haut; ihn ekelte, denn es fühlte sich an, als berühre er eine Gummipuppe. Dann atmete er auf:

»Sie leben! Das Herz schlägt. Aber sie müssen sich in einem seltsamen Zustand befinden. Ich zähle nur zehn Schläge je Sekunde!«

Guido zuckte die Schultern.

»Das ist an sich uninteressant. Sie sind außer Aktion gesetzt und können kein Unheil anrichten. Darauf kommt es an.«

»Was für Gas habt ihr verwendet?«

»Somnal Beta. In normaler Verdichtung.«

»Sie müßten längst wieder erwacht sein«, murmelte Mortimer.

»Laß sie und komm jetzt«, sagte Guido. »Wir brauchen unsere Ruhe!«

»Was geschieht mit ihnen?« fragte Mortimer.

»Was soll schon mit ihnen geschehen? Selbst ohne sie sind wir schon zu viel. Wir müssen uns ihrer entledigen. Kein anderer Ausweg!« Er winkte dem Posten »Zuschließen!«

12

Am nächsten Morgen war die Gruppe der Flüchtigen wieder auf Deck A versammelt.

»Kameraden«, sagte Guido, »es war uns nicht möglich, euch in dieser Nacht einwandfrei unterzubringen. Das Schiff enthält nur dreißig Kabinen, und wir sind über fünfzig Personen. Es wird aber dafür gesorgt werden, daß jeder einen eigenen Schlafplatz bekommt.

Das wäre die Unterbringung, und nun zum Nahrungsproblem.

Anschließend werden wir eine Frühstücksration ausgeben. Für ein warmes Mittagessen wird gesorgt werden, Zeit und Ort werden noch durchgesagt . . .«

Er wurde unterbrochen. Die Tür öffnete sich, und Bennet, Niklas' Schatten, schob diesen auf dem Rollstuhl herein. Er flüsterte kurz mit Guido. Dann rief dieser: »Achtung, Niklas hat uns was zu sagen!«

Niklas saß sichtlich angegriffen in den Kissen. Sein Gesicht war mumienhaft wie immer, die Lippen bildeten einen grauen Strich. Dann richtete er sich auf und begann:

»Kameraden, ein schweres Schicksal hat uns ereilt. Aber es gibt keinen Schlag, der hart genug wäre, uns zu vernichten, unsere Ideale zu töten. Jetzt müssen wir mehr zusammenhalten als je zuvor. Jeder muß für jeden da sein, ohne Rücksicht auf seine Person. Wir müssen stets bereit sein, unser Letztes zu geben, um der gerechten Sache zu dienen.

Ein langer mühseliger Weg steht uns bevor. Die Machthaber auf der Erde wiegen sich in der falschen Sicherheit, uns besiegt zu haben. Sie wissen noch nicht, daß wir nicht besiegt werden können. Eines Tages« – jetzt versuchte er lauter zu sprechen, die Worte zu rufen, doch es wurde nur ein blechernes Krächzen daraus –, »eines Tages werden wir zurückkehren und allen die Augen öffnen, die noch ihr stumpfsinniges Herdenleben der Sattheit führen, alle jene befreien, die sich noch danach sehnen, aus ihrem goldenen Käfig auszubrechen. Es lebe die Freiheit, es lebe die Liberale Partei!«

Niklas blieb noch sekundenlang hochaufgerichtet, dann sank er auf seinen Sitz zurück. Bennet trat vor und schob den Wagen zur Tür hinaus.

Guido begann wieder zu sprechen:

»Wir danken Niklas für seine Worte. Sie bestärken uns in unserem Willen, auf unserem Posten auszuharren, so schwer es auch werden mag.« Er stockte kurz und setzte dann fort: »Was die Lebensmittel betrifft – als anfängliche Sicherheitsmaßnahme werden wir sie rationieren. Da das Schiff für eine Art Generalprobe voll bestückt war, sollten sie eigentlich jahrelang reichen, bloß haben wir bisher die großen Vorratslager nicht gefunden. Doch das liegt sicher daran, daß wir noch keine Zeit hatten, das Schiff richtig zu durchsuchen. Zumindest muß es irgendwo Algenpflanzungen, Hydroponiktanks, Zuchträume für Fettwürmer geben, die es möglich machen, die Besatzung stets mit frischem Eiweiß, mit Kohlehydraten und Vitaminen zu versorgen.«

»Was, zum Teufel, sind Fettwürmer?« rief ein Mann.

»Eine neugezüchtete Art von Würmern, die sich, wenn sie auseinandergeschnitten werden, besonders rasch zu völligen Tieren ergänzen. Sie werden mit einem Brei aus Speiseresten und Abfällen genährt, aus denen sie brauchbare Eiweißstoffe erzeugen. Tut mir leid, das klingt nicht appetitlich, aber sie sind äußerst wichtig für längere bemannte Weltraumfahrten.«

»Na, prost Mahlzeit«, rief der Mann wieder.

»Ruhe bitte! Wir sind auf keiner Vergnügungsfahrt!« Guido ging mit eiserner Ruhe über alle Einwürfe hinweg. »Wir werden uns noch mehr einschränken müssen. Zum Beispiel, was die Luft betrifft. Hier ergibt sich etwas Ähnliches wie bei den Nahrungsmitteln. Die Lufterneuerungsaggregate, die wir bisher gefunden haben, reichen auf die Dauer einfach nicht aus. Das bedeutet, daß wir vorderhand sparsam sein müssen – keine unnötige Bewegung, keine Benutzung der Sportgeräte, keine Zigaretten und dergleichen.«

Wieder kam ein Zwischenruf:

»Dann friert uns doch gleich ein!« Alle lachten.

»Wir werden es erwägen«, gab Guido ernsthaft zurück. »Ein weiteres betrifft die Schaltanlagen in den Kabinen. Ihre Betätigung ist für den Laien gefährlich. Außer den Ingenieuren ist es daher allen verboten, sie auch nur zu berühren.

Und nun kommen wir zur Einteilung der Arbeiten. Die Besatzung ist so ausgesucht, daß uns für jede nötige Spezialaufgabe Fachkräfte zur Verfügung stehen. Die Arbeitseinteilung wird anschließend erfolgen. Es ist wohl nicht nötig zu betonen, wie wichtig . . .«

Niemand erfuhr, was wichtig war. Ein Mann glitt aus dem oberen Stockwerk über die Treppe in den Raum, an seinen gewandten Bewegungen sah man, daß es ein geübter Astronaut war.

»Wir werden verfolgt!« schrie er. »Wir müssen auf drei g beschleunigen, vielleicht auch höher. In zwei Minuten geht der Zauber los. Werft euch in eure Liegesitze, sonst gibt es Knochensalat. Macht rasch!«

Die Versammlung löste sich auf wie ein Papierhaufen, in den ein Wirbelwind fährt. Nach einigem Gedränge vor dem Abstieg war kein Mensch mehr auf Deck A. Und Sekunden später griff die gewaltige Kraft des Beschleunigungsdrucks wieder nach ihnen und machte sie klein, elend und schwach.

Zwei Minuten später lag Mortimer in seinem Schaumgummibett. Innerhalb von Sekunden stieg der Druck auf ein geradezu unerträgliches Maß. Er fühlte sich plattgequetscht wie eine Flunder, er beobachtete, wie sein Herz sich krampfhaft gegen die Belastung wehrte, wie kleine Äderchen zuckten, der Magen tief in den Körper sank. Hatten sie die Beschleunigung weit über drei g hinaufgetrieben? Es war nicht geradezu unerträglich, unerträglich aber war die Ungewißheit, wie lange dieser Zustand währen würde, die Möglichkeit, daß es Stunden und Stunden dauerte, daß er diese Belastung, diese Übelkeit unzählige Augenblicke hindurch immer wieder erneut zu bekämpfen, überwinden und sich ihr doch wieder ergeben müssen würde.

Sein Elend drängte, sein Gehirn suchte einen Ausweg, tastete die Möglichkeiten ab. Er erinnerte sich an die vergangene Nacht, und ein Hoffnungsschimmer zeichnete sich ab. Es war verboten, aber was kümmerte es ihn? Seine Hand kroch hoch, bleischwer, gegen die Gummifäden der Beschleunigung, gegen die Trägheit der Masse, Zentimeter um Zentimeter. Das Schaltbrett. Hebel. Welcher war der richtige? Er vergegenwärtigte sich den Augenblick des Erwachens, als er sich den blassen blauen Fleck am Handrücken geholt hatte ... dieser mußte es sein ... oder jener? Oder doch dieser? Er vermochte den Arm nicht mehr länger oben zu halten, und mit letzter Kraft drückte er den erstbesten Hebel hinein. Der Arm fiel wie ein Zentnergewicht auf die Gummiunterlage ... einen Augenblick geschah nichts ... Und dann sah er aus hohlen Augen zu, wie sich die ziegelrote Decke auf ihn zubewegte, wie sie niedersank, wie ein Vorhang ihn umfing. Das Licht erlosch. Ein Funken knisterte. Ein Kontakt schloß sich ...

Er spürte keine Schwere mehr, keinen Schmerz. Dafür umspielte ihn die Flut der Bilder und Gedanken.

Sehr klar und deutlich: ein Blockdiagramm, Rechtecke, die ihren Platz änderten. Ständig wechselnde Muster.

Vage: eine Terrasse, Kletterorchideen, als Kulisse ein bizarres Mondgebirge.

Flackernd: eine Diskussion, ein Streit fast – um eine Strategie, einen Plan, der das Raumschiff betraf ...

Dumpf: Liebe, Leidenschaft, Trauer, ein Mädchenkopf, bekannte Züge, aber wie durch einen Weichzeichner fotografiert, ein Name: Lucine.

Fordernd: ein Ruf, Appell, eine Frage, eine Aufforderung.

Sanft: eine Hand, über Tasten gleitend, die zirpenden Töne eines Spinetts.

Grell: Verärgerung, Worte, geschrieben oder gesprochen. Etwas verzerrt, aber nun deutlich: *Es sind Verbrecher, glaub' mir –*

Asoziale, Kranke. Wie wären sie sonst fähig, Gewalt anzuwen-
den, Leben zu zerstören!

Eine Antwortstimme, ein Zeichen, oder bloß ein akzentuiertes
Denken, gedämpft: *Ich kann es nicht glauben, daß Asoziale einer*
solch komplexen Organisation fähig sind. Der Anschlag war
ausgezeichnet geplant . . .

. . . und ist schließlich doch gescheitert!

Ich habe, soweit mir die Details bekannt sind, den Informa-
tionsgehalt des Planes kurz überschlagen: Er enthielt achtzehn
Prozent Redundanz. Bezogen auf den Unsicherheitsfaktor
kommt das dem Optimalwert nahe. Das beweist, daß Männer
hohen Intelligenzgrades beteiligt sind!

Intelligenz zählt nicht, wenn das Sozialverhalten entartet ist.
Diese Menschen sind Ungeheuer. Ihr Ziel ist nicht eine Synthese,
wie bei Normalen, sondern die Vernichtung, die Zerstörung der
Ordnung. Sie kümmern sich nicht um andere, gehen rücksichts-
los ihren destruktiven Zielen nach, ganz gleich, was dabei zu-
grunde geht. Sie sind Mörder! Mörder . . .

Wir sind keine Mörder!

Erregt: Erstaunen, Verwunderung, Fragen . . .

Wir sind keine Mörder!

Keine Schrift, keine Sprache. Direkte Kommunikation.

Mortimer riß sich aus dem Bann der fremden Vorstellungen,
die für ihn chaotische Abläufe waren – eine Bildwelt, wie sie ein
eben Sehendgewordener erlebt, ein Reich der Klänge, wie es ein
der Taubheit Entronnener gewahr wird.

Dann wußte Mortimer, daß er selbst geantwortet hatte. Es
war seine eigene Antwort gewesen. Er hatte ›gesprochen‹.

Jetzt ›hörte‹ er wieder.

He, melde dich doch! Wer bist du? Bitte, melde dich!

Wie soll ich mich melden? fragte sich Mortimer. Wie kann ich
Verbindung mit euch aufnehmen? Wer seid ihr, und in welchem
Zustand befindet ihr euch?

Nun langsam und außerordentlich gut verständlich:

Wir gehören zur Besatzung des Schiffes! Zum Forschungsteam.

Nur fünf von uns sind ans Kommunikationsnetz angeschlossen. Die anderen sind auch gedanklich stillgelegt.

Mortimer war zu verwirrt, eine Antwort zu versuchen. Dann kam wieder die sanfte überlegene Stimme:

Ich kenne dich doch: Du bist Stanton Baraval! Erinnerst du dich nicht – Derreck Heary, von der Kybernetischen Zentrale. Wir haben zusammen in der Planungsgruppe sieben gearbeitet. Wo bist du? Etwas an dir hat sich verändert! Wie kamst du in das Schiff? Können wir dir helfen?

In Mortimer erwachten Erinnerungen, oder zumindest in jenem, fremden Teil von ihm, den er doch nicht abtrennen konnte.

Ich wurde überwältigt, von einem Unbekannten aufgesogen und ihm hilflos ausgeliefert, rettet mich! So wollte er antworten, doch er unterdrückte diese absurde Reaktion. Statt dessen akzentuierte er:

Die Verbrecher seid ihr! Ihr selbst führt ein Luxusleben, gebt euch euren persönlichen Interessen hin, ohne der Menschheit zu helfen, was doch in eurer Macht stünde! Ihr laßt sie hungern, und habt den Schlüssel zum Überfluß in der Hand. Ihr laßt Kinder sterben, und schließt die Medikamente in euren Tresoren ein. Ich bin nicht Stanton Baraval, und ich will nicht von euch gerettet werden. Ich hasse und verachte euch!

Er hatte nichts anderes als den Wunsch, sich aus diesem Netz zu lösen, das ihn sanft zu umspinnen drohte, er wollte sich von diesen Stimmen absondern, die Saiten in ihm zur Resonanz brachten, die ganz anders klangen als die Antwort, die er gegeben hatte.

Da öffnete sich eine Verbindung, ein Funke riß ab, er spürte Luftzug auf der Haut und ein Gewicht im Magen, er lag offen auf seinem Lager, war wieder dem Schmerz und dem Elend ausgeliefert, und ertappte sich dabei, daß er schluchzte; er spürte Tränen über seine Schläfen fließen, ohne daß es ihm gelang, auch nur die Hand zu heben, um sie abzuwischen. Doch war es gar nicht so sehr der Schmerz, der ihn quälte, als vielmehr das Leid darüber, daß er ehrliche Teilnahme zurückgewiesen, Mitleid brüskiert hatte, freilich ohne es anders zu können. Er klammerte sich noch immer an das, was für ihn die Wahrheit war, obwohl sie ihm längst nicht mehr so glanzvoll schien, wie früher einmal; immerhin war sie noch wert, verteidigt zu werden – ohne Rücksicht auf sich selbst.

13

Obwohl Niklas der offizielle Anführer war, hatte Guido praktisch die Leitung übernommen. Als die Mannschaft drei Tage später wieder zusammenkam, sah man ihr die Anstrengungen der letzten Tage an. Die Leute waren sichtlich abgemagert, die Wangen waren eingefallen, die Augen blutunterlaufen.

»Niklas wird einige Worte zu euch sprechen«, kündigte Guido an.

Der Blinde saß wie immer in seinem Rollstuhl. Seine Stimme klang womöglich noch leiser als das letztemal, aber noch immer schwang in ihr der ungebrochene Wille des Mannes:

»Kameraden! Die letzten Tage waren schwer für uns alle. Aber das macht uns nur stark. Wir müssen durchhalten! Durchhalten!« Er machte eine längere Pause, und es schien, als wäre er schon zum Ende gekommen, da begann er wieder: »Unsere Aufgabe ist heilig. Wir sind vorgesehen, die Menschheit zu retten. Wir können nicht untergehen. Wir können nur siegen!«

Die letzten Worte waren kaum mehr zu verstehen. Bennet wechselte einen Blick mit Guido, dann schob er den Rollstuhl mit dem zusammengesunkenen Niklas hinaus.

Guido ergriff wieder das Wort.

»Kameraden, ich habe euch zusammengerufen, weil es einige Dinge zu regeln gibt, die ihr selbst mitbestimmen sollt.«

»Der Andruck macht uns kaputt«, schrie einer. »Wann hört ihr endlich damit auf?«

»Wir werden noch immer verfolgt«, erklärte Guido. »Ein Dutzend Raumkreuzer sind uns auf den Fersen. Aber unser Schiff ist schneller, wir können ihnen entkommen. Dazu müssen wir beschleunigen – und das geht nun einmal nicht ohne Andruck. Oder wollt ihr den Polizeitruppen in die Hände fallen?«

Ablehnende Rufe wurden laut.

»Nein, niemals. Wir geben nicht auf!«

Guido nickte. »So dachte ich auch. Der Andruck ist das kleinste Übel. Wenn wir wollten, könnten wir noch weitaus stärker beschleunigen. Der Schub des Ionentriebwerks läßt sich noch auf das Zwanzigfache steigern.«

»Und wer soll das ertragen?« rief wieder jemand dazwischen.

»Ich habe eine erfreuliche Botschaft, die diese Sorge betrifft. Wir sind sicher, daß sich auf dem Schiff ein Antigravsystem befindet, das die Wirkung des Andrucks neutralisiert. Wir sind uns lediglich noch nicht darüber klar geworden, wie es in Funktion zu setzen ist!«

Wieder unterbrach ihn jemand: »Stümper!« Guido ließ sich nicht aus dem Konzept bringen. »Wir haben das Schiff einem ausgesuchten Team von erfahrenen Astronauten anvertraut. Es gibt keinen Grund, an ihrer Tüchtigkeit zu zweifeln. Wenn wir Schwierigkeiten haben, so liegt das vielmehr daran, daß dieses Schiff nach völlig neuen Prinzipien gebaut ist. Damit hat niemand gerechnet. Es enthält Anlagen, deren Zweck uns noch rätselhaft ist. Wir können froh sein, daß wir wenigstens den Antrieb und die Steuerung beherrschen.

Viel bedenklicher ist etwas anderes, und ich glaube, es ist am besten, es offen auszusprechen: Bisher ist es uns noch nicht gelungen, die laufende Versorgung mit Luft, Wasser und Nahrung sicherzustellen. Wir haben zwar die Geräte gefunden, aber ihre Kapazität ist einfach zu gering. Im Dauerbetrieb können sie höchstens die Versorgung von zehn Personen gewährleisten. Eine volle Besatzung wie die unsere kann bestenfalls eine Woche auskommen. Dann müßten die Anlagen vier Wochen arbeiten, um die verbrauchten Vorräte wieder zu ersetzen.«

»Das Schiff war doch für eine interstellare Expedition ausgerüstet! Da stimmt doch etwas nicht!«

»Vielleicht hängt es irgendwie mit dem neuen System zusammen. Wir werden das Problem sicher lösen. Eine Gruppe arbeitet schon an Plänen, die Kapazität der Anlagen zu vergrößern.«

Neuerlich ließ sich ein Zwischenrufer hören: »Aber wir haben doch nur noch vier Tage Zeit!«

»Das ist uns bekannt«, gab Guido zurück. »Doch wir sitzen alle im selben Boot. Es bleibt uns nichts anderes übrig, als uns in Geduld zu fassen. Vorderhand heißt es, unseren Verbrauch auf ein Minimum einzuschränken. Es darf kein Wasser mehr zum Waschen oder gar zum Baden verwendet werden. Die Luft hat bereits einen Kohlendioxidgehalt, der an die Grenze des Erträglichen geht – also macht keine unnötige Bewegung, bleibt in euren Betten, ruht euch aus, ihr habt es nötig. Eiserne Disziplin ist Gebot. Übrigens kürzen wir die Lebensmittelrationen weiter um ein Drittel. Und damit Schluß für heute.«

Mortimer empfand den Aufenthalt auf dem Schiff wie einen bösen Traum. Die Erlebnisse der letzten Tage wirkten in ihm nach, die Enttäuschung des Mißlingens hatte ihn ausgehöhlt. Die fremdartigen Gedanken, die immer wieder in ihm aufglommen, verwirrten ihn. Die Beanspruchung der Beschleunigungsphasen und der Hunger schwächten ihn, der Sauerstoffmangel bereitete ihm einen dumpfen Schmerz hinter der Nasenwurzel. Er vermochte die Probleme, die ihn beschäftigten, nur langsam zu überdenken, ohne sich schlüssig zu werden.

Da seine Anwesenheit auf dem Schiff von vornherein nicht geplant gewesen war, gab es für ihn auch keine besondere Aufgabe. Er wurde zu Gelegenheitsarbeiten eingesetzt, zuletzt bei einer Gruppe von Männern, die die Aufgabe hatten, die hydroponischen Anlagen zu vergrößern. Sie holten alle Behälter heran, deren sie habhaft werden konnten – um solche und ähnliche Transportarbeiten zu erleichtern, wurde die Beschleunigung jeden Tag zweimal auf ein halbes g herabgesetzt –, aber sie gestanden sich bald ein, daß diese Mühe umsonst sei. Ehe sie auch nur ein Kilogramm Bohnen oder Bananen ernten konnten, waren sie längst verhungert. Sie erörterten diesen Sachverhalt nicht weiter und erfuhren auch von den anderen nichts Konkretes, aber es bestand kein Zweifel mehr daran, daß sie zum Verhungern, Verdursten oder zum Ersticken verurteilt waren.

Als Mortimer sich in einer der wenigen Stunden normaler Beschleunigung, die ihnen noch gewährt wurden, ein wenig im Schiff umsah, geriet er in einen Bugraum, der wohl als kleines Beratungszimmer dienen sollte. Seine Frontseite nahm eine große Bildwand ein. Der Raum war verdunkelt, aber der Leuchtschirm war eingeschaltet und zeigte einen Augenblick ins All hinaus. Es war das erste sichtbare Zeugnis dafür, daß sie sich im Weltraum befanden, denn das Schiff war von seinem dicken Panzer gegen Protonenschauer und Gammastrahlen lückenlos umgeben und besaß keine Fenster, sondern nur ein paar Flächenantennen. In der Wiedergabe des Bildverstärkers erschienen die Sterne als farbige Schwärme, als pastellgetönte Funken, als Regenbogenschleier. Mortimer setzte sich auf einen Stuhl nahe der Tür. Als sich seine Augen an die Dämmerung gewöhnt hatten, merkte er, daß er nicht allein war. Einige Meter vor ihm saß noch jemand, und zu seiner Überraschung erkannte er, daß es Maida war. Sie mußte ihn bemerkt haben, aber sie sagte nichts und rührte sich nicht. Zögernd stand er auf, ging vor und setzte sich wortlos neben sie. Beide folgten dem stark vergrößerten Ausschnitt des Sternenhimmels, und ohne zu sprechen, fühlten sie, daß es nichts Trennendes mehr zwischen ihnen gab.

Vor ihnen zogen die Sternennebel vorbei, Myriaden Sonnen, zu seltsamen Wolken geballt, Nebel, in Spiralen, Disken und Kugeln. Zum erstenmal spürten sie, wie einsam sie waren inmitten der absoluten Leere, und wie dringend einer den anderen brauchte, um diese Einsamkeit zu ertragen.

Am sechsten Tage der Reise rang sich Mortimer zu einem Entschluß durch. Er suchte Guido auf und schlug ihm vor, sich mit den Wissenschaftlern zu einigen.

»Ich bin überzeugt davon«, meinte er, »daß in diesem Schiff alle Vorkehrungen für eine jahrelange Weltraumfahrt getroffen sind. Aber sie nützen uns nichts, solange wir sie nicht zu nützen verstehen. Es kann aber doch kein Zweifel daran bestehen, daß die Forscher diese Anlagen beherrschen. Wir müssen sie dazu bringen, uns zu helfen.«

»Und warum sollen sie das tun?« fragte Guido. Diesen Einwand hatte Mortimer vorhergesehen.

»Wenn der Sauerstoff verbraucht ist, gehen auch sie zugrunde.«

»Sie verharren noch immer in ihrem starren Zustand«, gab Guido zu bedenken. »Sie scheinen sich selbst irgendwie in der Besinnungslosigkeit zu halten. Wie sollen wir Kontakt mit ihnen aufnehmen?«

»Ich habe schon Kontakt mit ihnen aufgenommen«, erklärte Mortimer und berichtete von dem seltsamen Gespräch, das er geführt hatte.

Guido dachte einige Augenblicke lang nach. »Eigentlich hast du gegen den Befehl gehandelt. Wer weiß, ob es nicht gefährlich ist, solche Kontakte aufzunehmen? Wenn das stimmt, was du berichtest, müssen wir mit Suggestion und dergleichen rechnen. Aber vielleicht war es doch ganz gut, daß du es versucht hast. Zunächst will ich den anderen allerdings nichts davon sagen. Vielleicht würden sie es als ein Paktieren mit dem Feind ansehen. Aber immerhin – es ist vielleicht ein Ausweg. Wenn es nicht gelingt ...« Er ließ die Worte im Raum hängen. Sie wußten beide, was es bedeutete, wenn es ihnen nicht gelang. Guido hatte Bedenken, Mortimers Experiment selbst zu wiederholen. Sie gingen in dessen Kabine, und Mortimer ließ sich auf seinem Bett nieder. Entschlossen drückte er den Hebel hinunter. Die Mechanik arbeitete prompt, die Decke senkte sich hernieder. Mit einer Art mentalen Einrastens war die Verbindung hergestellt. Wieder überschwemmte ihn eine Flut von Gedanken, Vorstellungen, Gefühlen ...

Er achtete nicht darauf, sondern dachte an Derreck, so als versuche er den Namen auszusprechen, ohne die Zunge zu bewegen. *Hallo, Derreck! Hallo, Derreck! Bitte melden!*

Bist du's, Stanton? antwortete jemand aus dem Durcheinander der Eindrücke heraus. *Hier ist Derreck. Wer ruft?*

Hier ist Mortimer Cross. Ich bin beauftragt, mit euch zu verhandeln. Ich möchte euren Chef sprechen!

Oh! Es war nicht der Laut ›oh‹, aber ein Impuls der Überraschung, der ihm entsprach.

Einen Moment, ich muß ihn wecken.

Mortimer vernahm den Ruf *Professor van Steen! Professor van Steen!* Zugleich erschien das Bild eines alten Mannes mit kurzgeschorenem weißem Haar – des gefangenen Wissenschaftlers, den Mortimer schon gesehen hatte.

Ein Unterhändler, Professor!

Eine neue Stimme, dunkel und bestimmt.

Über den mentalen Kanal?

Ja!

Gut, ich bin bereit.

Mortimer beobachtete mit Genugtuung, daß er sich schon ausgezeichnet auf einzelne Strömungen in dem Gewirr der Vorstellungen konzentrieren konnte. Und offenbar gelang es ihm auch, sich verständlich zu machen, denn die anderen antworteten unverzüglich.

Hier Mortimer Cross. Ich will es kurz machen, Professor. Sie dürften sich Ihrer Lage bewußt sein.

Das sind wir. Und weiter?

Sie sind in unserer Hand, und es ist am besten für Sie, das anzuerkennen. Wir haben gewisse Schwierigkeiten mit der Bedienung des Schiffes, und wir verlangen, daß Sie uns helfen.

Ihr kommt mit dem System nicht zurecht. Das war zu erwarten. Wobei gibt es Schwierigkeiten?

Mortimer überlegte kurz, sah aber ein, daß es sinnlos wäre, etwas zu verschweigen.

An der Nahrung, dem Wasser, dem Sauerstoff. Wir kommen damit nicht aus.

Ihr habt euch wohl vorgestellt, man fährt in einem interstellaren Raumschiff wie in einer Postkutsche? Das Überwinden der Beschleunigungsschranke, der Protonenmauer – das sollte wohl mit einer Art fliegenden Ozeandampfer zu bewerkstelligen sein? Die Geschwindigkeitsgrenze, jenseits derer das harmlose Sternenlicht zum tödlichen Gammaregen wird; die Spanne einer menschlichen Generation, über die eine sinnvolle Forschungsarbeit nicht hinausgehen kann – das wollt ihr wahrscheinlich in einer Art Speisewagen erleben, mit Ausblick auf die Sternennebel! Was bedeutet dagegen die Frage der Ernährung, der Lufterneuerung!

Für uns bedeutet sie viel – momentan. Und genau genommen, auch für Sie.

Eine unformulierte Frage war die Reaktion auf diesen Einwurf. Mortimer verstand, was gemeint war.

Wenn die Luft keinen Sauerstoff mehr enthält, dann sind auch Sie und die Angehörigen Ihres Teams verloren. In welchem Zustand auch immer Sie sich befinden mögen – Sie brauchen Sauerstoff. Ist er verbraucht, so gehen auch Sie zugrunde.

Irrtum! Durch einen hormonellen Eingriff, den ich jetzt nicht näher erläutern kann, haben wir unseren Metabolismus auf ein Fünftel der normalen Reaktionsgeschwindigkeit herabgesetzt. Wenn wir alle unsere Hilfsmittel einsetzen, können wir noch weitaus tiefer gehen. Dementsprechend benötigen wir auch nur ein Fünftel jener Sauerstoffkonzentration, die normalerweise erforderlich ist und die Sie und Ihre Leute brauchen. Das heißt, daß wir noch lange leben, wenn Sie längst erstickt sind. Sie können meinen Worten vertrauen: In der langen Zeit, die wir uns im Schiff aufhalten würden, wäre es sinnlos, Körperenergie zu verschwenden. Nur das Denken bleibt nützlich wie immer, doch dessen Energieverbrauch ist minimal. Da es nur in der Kommunikation mit anderen zu Ergebnissen führt, haben wir an den Kopfenden der Ruhelager Antennen angebracht, die die Gehirnströme aufnehmen; dazu brauchen Sie übrigens die Antigravspulen nicht zu schließen. Von dort werden sie nach einigen Verstärkungsschritten in einen Computer geleitet, der sie analysiert und von den informationsleeren Reaktionsströmen reinigt. In dieser Form werden sie an alle Stellen geleitet, an denen die kombinierten Empfangs- und Sendeeinheiten angebracht sind. Dort werden sie schließlich fokussiert und an die automatisch angepeilten Zentren in der Hirnrinde geleitet. Sie sehen also, es ist kein Zauber dabei. Nur hochentwickelte Biotechnik.

Wir haben keinen Augenblick an Zauberei gedacht, wehrte sich Mortimer.

Um so besser! Dann wissen Sie wenigstens, womit Sie sich auseinanderzusetzen haben. Geben Sie sich keinen Illusionen hin — das ist auch der Grund dafür, daß ich Ihnen das überhaupt erzähle.

Ich zweifle nicht an der Wahrheit dessen, was Sie sagen. Aber trotz Ihres enormen technischen Wissens bleibt die Tatsache bestehen, daß wir mit Ihnen tun können, was wir für richtig halten. Die Mehrzahl meiner Kameraden ist beispielsweise dafür, Sie ohne Erbarmen dem Vakuum auszusetzen, sofern Sie uns nicht von Nutzen sind. Helfen Sie uns — und Sie kommen mit dem Leben davon.

Und wie garantieren Sie mir das?

Gar nicht, antwortete Mortimer.

Dann möchte ich unser Gespräch für beendet ansehen.

Der klare Gedankenstrom brach ab, dafür trat nun der Untergrund anderer Eindrücke wieder stärker hervor. Mortimer merkte, daß es ihm immer besser gelang, willkürlich einzelne Fäden herauszugreifen und zu verstehen, genauso wie es möglich ist, aus einem Stimmengewirr einzelne Redner herauszuhören.

Einen Moment, Professor, so bleiben Sie doch.

Es war vergeblich, der Chef der Gruppe meldete sich nicht mehr. Im Gegenteil, plötzlich wurden die Geräusche dünner, die Bilder blasser, es war, als stellte einer nach dem anderen seine Gedanken ab.

Schon wollte Mortimer seine Versuche aufgeben, als er wieder einen Gedankenstrom empfing, ein dünnes Rinnsal trüber Vorstellungen, und dann einen zaghaften Ruf.

Mortimer Cross, sind Sie noch da? Können Sie mich hören?

Sofort konzentrierte er sich wieder und stellte einen besseren Kontakt her – er sah ein junges Gesicht, er erkannte das Mädchen wieder, das Mädchen im weißen Mantel, das ihm unter den Gefangenen aufgefallen war, das Mädchen, dessen Bild er auch von seinem ersten Kontaktversuch her in Erinnerung hatte – offenbar als belauschte Vorstellung eines, der sie liebte. Und nun erkannte er sie wieder, nicht wie ein fotografisches Abbild, sondern eher von innen heraus wie etwas Altbekanntes, Vertrautes.

Hier Mortimer Cross. Ja, ich bin noch da. Was wollen Sie?

Die Stimme, oder besser das, was bei dieser Art der Verständigung der Stimme entsprach, war rührend.

Hier Lucine Villiers. Ich bin die Assistentin von Professor van Steen. Ich habe Ihr Gespräch gehört.

Aha. Und was kann ich für Sie tun?

Hören Sie! Die anderen haben abgeschaltet, sie schlafen, wenn Sie es so nennen wollen. Niemand belauscht uns, ich bin sicher.

Schön, sagte Mortimer. *Was haben Sie mir zu sagen?*

Eigentlich nichts. Aber bitte, bleiben Sie da! Nur eine Frage: Würden Sie uns wirklich – töten?

Es war doch mehr als eine Frage, eben weil es nicht nur Worte waren, sondern weil die Angst mitschwang, die Lust, jung zu sein und zu leben, die Sorge, das alles zu verlieren. Weil diese Gefühle alle mit übertragen, mit empfangen wurden.

Es wird nicht so weit kommen, meinte Mortimer. *Ihre Kollegen werden einsehen, daß ihnen nichts anderes übrigbleibt, als uns zu helfen.*

Nein, ich bin sicher, das werden sie nicht. Sie lassen sich nicht zwingen. Lieber wollen sie sterben. Sie sagen, wir werden nicht leiden, nicht das Geringste spüren. Aber es ist doch alles aus danach, nicht wahr?

Mortimer antwortete nicht.

Würden Sie uns denn wirklich umbringen? Ich kann es nicht glauben. Wenn ich so Ihre Gedanken spüre ... Sie sind doch kein Verbrecher? Sie werden es nicht tun – Sie können es gar nicht!

Sagen Sie mir, wie wir mit der Lufterneuerung fertig werden,

oder sagen Sie mir zumindest, wie man die Körpervorgänge ver-
langsamt; das würde uns auch schon helfen. Dann geschieht
Ihnen nichts – das garantiere ich.

Was ihm entgegenschlug, war Enttäuschung, Trauer.

Wie können Sie so einen Vorschlag machen! Was denken Sie
von mir! Aber selbst, wenn ich es wollte: Es ist zu kompliziert.
Eine Injektion, aber mit Eiweißkörpern, die für jede Person an-
ders sind. Geben Sie sich keine Mühe, Sie kriegen es nicht heraus.
Sie tun mir leid, Mortimer. Sie sind nicht unsympathisch, nur
verhärtet. Leben Sie wohl!

Sie hockten apathisch auf dem Boden, sie warteten, aber sie
hatten keine Hoffnung mehr. Sie waren schwach und ausgemer-
gelt, die Rationen waren auf lächerliche Happen zusammenge-
schrumpft, die nur die Gier anfachten, aber nicht sättigten. Wasser gab es gerade noch genügend, doch die Luft war so verbraucht, daß die Furcht, ersticken zu müssen, nach jeder körperlichen Anstrengung geradezu unerträglich wurde.

»Kameraden«, sagte Guido, »ich danke euch dafür, daß ihr
gekommen seid. Ihr wißt es selbst: Unsere Lage ist verzweifelt.
Wir sind an einem Punkt angelangt, wo wir einen Entschluß
fassen müssen. Unser Luftvorrat reicht nur noch für zwei Tage.
Die Nahrungsmittel ließen sich zwar noch weiter strecken, aber
was sollte das unter diesen Umständen für Nutzen haben? Ihr
dürft uns glauben, daß wir unser Möglichstes getan haben – aber
es gibt einfach keine genügenden Vorräte, und die Regenera-
tionsanlagen reichen nicht aus. Praktisch gibt es für uns nur noch
zwei Wege – entweder wir ergeben uns . . .«

»Das wäre schlimmer als der Tod!«

»Kommt nicht in Frage!«

»Ihr wißt, was das bedeuten würde – die Entpersönlichung!«
Guido wies die Zwischenrufer mit einer Handbewegung ab.

»Die zweite Möglichkeit: Wir fahren weiter und ersticken.«

Jetzt schwiegen sie. Dann meldete sich ein Mann mit rost-
rotem Haar und einem braunfleckigen Gesicht.

»Es gibt eine Zwischenlösung. Fünfundzwanzig von uns sterben freiwillig. Zehn bleiben am Leben. Für diese reichen die Regeneratoren aus!«

Jetzt erwachten sie alle aus ihrer Apathie, als wäre jemand mit einer Peitsche zwischen sie gefahren.

»Und wer sind die zehn Auserwählten!«

»Die Jüngsten von uns natürlich!«

»Weil du dazu gehörst . . .«

»Wir stimmen ab!«

»Nein, wir losen!«

Währenddessen hatte sich die Tür des Lastenaufzugs geöffnet, der Rollstuhl von Niklas erschien. Bennet schob ihn vor, und machte mit der Hand ein Zeichen, das Ruhe forderte.

»Seid still! Niklas will zu euch sprechen!« rief Guido.

Der Blinde zuckte zusammen. Er hob den Kopf, der langsam hin- und herpendelte, wie von schwachem Seegang gerührt. Langsam, wie widerwillig verstummte das Geschrei:

»Kameraden, die Stunde der Bewährung ist gekommen. Jetzt heißt es durchhalten!« Er stockte, atmete heftig. »Wenn wir diese Prüfung überstehen, haben wir gesiegt! Wir müssen uns selbst überwinden . . . zum Sieg! Durchhalten . . . durchhalten . . .« Er riß sich zusammen, hob den Mumienkopf, die blinden Augen blickten ins Leere. »Das Schicksal macht uns stark. Haltet aus, Kameraden . . .«

Die Männer waren noch erregt, und sie hörten Niklas mit wachsender Unruhe zu Schließlich rief einer: »Geschwätz!«

Einen Augenblick war es bedrückend still. Dann ging ein Wirbel durch die Reihen.

»Schluß damit!«

»Wir brauchen keine Predigt!«

»Gib uns Sauerstoff!«

»Verschwinde!«

Niklas saß wie erstarrt. Jetzt bewegte sich nicht einmal mehr sein Kopf. Man hätte daran zweifeln können, ob noch Leben in diesem Körper war. Bennet trat rasch vor und schob den Rollstuhl zurück in den Lastenaufzug. Die Schiebetür klappte zu, und beide verschwanden.

Die Empörung hatte sich gelegt, statt dessen kam eine erregte Diskussion in Gang. Guido fürchtete, daß mit der Autorität des Anführers auch die Disziplin verlorengehen würde. Er bemühte sich, den Lärm zu überschreien, aber es gelang ihm nicht. Eine kleine, stämmige Frau hatte mit ihrer schrillen Stimme die Aufmerksamkeit auf sich gelenkt.

»An allem sind die Wissenschaftler schuld, die irgendwo im Schiff schlafen und uns die letzten Reste Sauerstoff stehlen. Wir brauchen das nicht länger zu dulden! Werft sie hinaus, die Schmarotzer! Hinaus mit ihnen, ins Vakuum!«

Ein Gebrüll antwortete ihr. Es sah aus, als würden jetzt die letzten Reserven mobil, als schlüge die Flamme noch einmal hoch, bevor sie endgültig erstarb.

»Wo sind sie? Hinaus mit ihnen!«

Ein paar Besonnene versuchten dagegen anzukämpfen, aber sie vermochten nichts auszurichten. Das Fieber der Hysterie griff blindlings um sich.

Unvermittelt öffnete sich die Tür des Lastenaufzugs wieder. Einige wurden darauf aufmerksam, und das Geschrei legte sich ein wenig. Es verstummte vollends, als Bennet schreckensbleich heraustaumelte.

»Niklas ist fort!« schrie er. »Es muß etwas geschehen sein. Hört euch das an!« Er hob ein Magnetophonkästchen und schaltete ein. Noch einmal tönte Niklas' tonlose Stimme: »Das ist die letzte Prüfung. Wenn wir sie durchstehen, sind wir gerettet. Ich gehe euch voran, folgt mir. Wir gehen in die Freiheit ein, in die ewige Freiheit ...« Mit einem Knacken brach die Aufnahme ab.

»Wir müssen ihn suchen«, schrie Bennet. »Helft mir! Sonst passiert etwas!«

»Was soll passieren?« rief einer. »Er ist wahnsinnig geworden, das ist alles.«

»Er kann nicht weit sein, mit seinem Stuhl kommt er nur langsam voran.«

Plötzlich schrie ein junger Mann kreischend auf: »Der Druck nimmt ab. Wir verlieren Luft! Hilfe, wir ersticken!«

Jetzt sprangen alle auf, und in diesem Moment meldete sich auch der Lautsprecher:

»Hier spricht die Zentrale. Von Deck C ist Luft entwichen. Es besteht keine unmittelbare Gefahr. Der Druckabfall ist gering. Die Sicherheitstüren sind geschlossen. Angehörige des Reparaturteams in Vakuumanzügen auf Deck C. Ich wiederhole: Angehörige des Reparaturteams auf Deck C. Wir melden uns wieder. Ende.«

Einige Männer rannten zur Treppe. Die anderen standen schreckensbleich herum, ihre Augen hingen am Lautsprecher.

Es knackte, und eine aufgeregte Stimme schrie: »Die Schleuse ist geöffnet! Mann über Bord!«

Jetzt hielt die Menschen nichts mehr beisammen. Einer nach dem anderen verschwand im Ausgang.

Mortimer erinnerte sich an den Bildschirm im kleinen Verhandlungszimmer, und er stieg ins obere Geschoß hinauf. Er schaltete den Bildschirm ein und dämpfte die Raumbeleuchtung. Hastig drehte er an der Höhen- und Breiteneinstellung ... die Sterne zogen still über die Rechteckfläche. Da! Etwas Fremdes, Ungehöriges, Absurdes: ein Rollstuhl schwebend inmitten des Gefunkels, in langsamer Drehung begriffen ... Jetzt kippte die Lehne, und gab die Sicht auf die menschliche Gestalt frei, die ohne Schutzanzug darauf saß, von zwei schmalen Riemen gehalten. Der Unterleib war unter einer Decke verborgen. Es war Niklas, der hier in den Raum hinaustrieb, langsam kleiner wurde, sich weiter drehte, das Gesicht mit den trübe blinkenden Haftscheiben erhoben, als lausche er auf etwas, was nur er verstehen konnte – im Tode wieder achtunggebietend, einsam und unangreifbar wie einst.

14

Als sich der schwebende Rollstuhl so weit entfernt hatte, daß er nur noch als winziger Schattenfleck zu erkennen war, der vor dem Schleier der Sternnebel dahinzog, fühlte Mortimer eine Hand auf seiner Schulter. Es war Guido, und hinter ihm stand Breber.

»Wir wollen noch einen letzten Versuch machen«, sagte Guido, »uns mit den Wissenschaftlern zu einigen. Haben sie nicht angeregt, wir sollten auf die Erde zurückkehren und sie irgendwo aussetzen?«

»Gewiß. Bei meinem ersten Kontakt.«

»Dann müssen sie uns helfen«, folgerte Guido. »Sonst können wir ihren Wunsch nicht erfüllen.«

»Wollt ihr umkehren – zur Erde zurück?« fragte Mortimer.

»Wir werden sehen. Komm jetzt! Ich erkläre dir, was wir vorhaben.«

In seiner Kabine angekommen, legte sich Mortimer aufs Bett. Er hatte inzwischen die kleine Schalttafel an der Wand genau studiert, und glaubte zu wissen, wie er sich in das Kommunikationsnetz einschalten konnte, ohne zugleich unter der Deckmatte begraben zu werden, die ihn vor dem Andruck schützte, aber auch von der Umwelt abschloß. Er drückte einen Knopf hinein, und tatsächlich waren ihm augenblicklich die fremden Gedankenmuster gegenwärtig.

Ich rufe Professor van Steen! dachte er und bemühte sich, die Worte deutlich voneinander zu trennen. *Wir haben einen Vorschlag zu machen. Bitte antworten Sie!*

Er spürte verschiedene Gefühlseindrücke von Ablehnung bis gespannter Erwartung. Es gelang ihm sogar, Lucines Regungen aufzufangen, und er konnte sich nicht enthalten, ihr einen nicht näher umschriebenen ermutigenden Impuls zugehen zu lassen.

Hier van Steen. Was wünschen Sie?

Ich handle im Auftrag der Schiffsleitung. Ich habe Ihnen zu sagen, daß wir bereit sind, Sie und Ihre Leute am Leben zu las-

sen, zur Erde zurückzukehren, und Sie auszusetzen, so daß Sie mit Ihren Behörden in Verbindung treten, an Ihre Arbeitsplätze zurückkehren können. Allerdings müssen Sie uns dann sofort helfen!

Dieser Vorschlag liegt lange zurück. Er gilt nicht mehr. Die Zeit hat für uns gearbeitet. In Kürze werden wir befreit sein, ohne auch nur einen Finger zu rühren.

Mortimer sagte laut zu Guido: »Er lehnt ab.«

Guido nickte ihm zu. Mortimer konzentrierte sich wieder auf seinen Verhandlungspartner.

Sie irren sich! Da es für uns keine Rettung mehr gibt, werden wir das Schiff vernichten.

Kurzes Zögern, unterdrückte Unsicherheit. Mortimers Zuversicht erhielt merklichen Auftrieb.

Das glaube ich Ihnen nicht. Kein Mensch gibt sich auf, solange noch Hoffnung besteht; und Hoffnung besteht, solange er lebt. Und sollten Sie an eine Verzögerungsschaltung denken, eine Zeitbombe oder etwas Ähnliches, dann wäre das töricht. Wir schalten sie ab, sobald Sie bewegungsunfähig geworden sind.

Mortimer nahm einen Gefühlseindruck, eine Meinung oder eine Einstellung wahr, die ihn wieder etwas zweifeln ließ: Der Professor hatte den Anflug der Hoffnung aufgefangen und seine Haltung versteift. Mortimer mußte das letzte verzweifelte Mittel anwenden.

Jetzt hören Sie gut zu, Professor! Sie haben es bisher nur mit Menschen zu tun gehabt, deren psychische Kräfte und Antriebe dem Durchschnitt entsprachen. Wir sind zwar keine Ungeheuer, wie einer Ihrer Mitarbeiter meint, aber wir sind in viel höherem Maße bereit, Opfer zu bringen, um ein Ziel zu erreichen, unsere eigenen Bedürfnisse zu unterdrücken. Dazu kommt, daß wir zu verzweifeln beginnen. Das mag Sie mit Triumph erfüllen – in Wirklichkeit ist es höchst gefährlich für Sie. Verzweifelte handeln nicht stets nach der Norm. Und falls Sie meinen, daß sich bei einer Abstimmung immer noch die am Leben hängende Mehrheit durchsetzen würde, dann darf ich Ihnen sagen: Wir *stimmen nicht ab. Es sind einzelne unter uns, die absolut keine Rücksicht auf die Wünsche anderer nehmen. Einer von ihnen ist Breber. Vielleicht haben Sie schon von ihm gehört. Er ist bewaffnet, und ich nicht. Selbst ich kann ihn nicht daran hindern, das zu tun, was er sich vorgenommen hat.*

Mortimer bemühte sich nicht, seine Gefühle und Ansichten zu verschließen. Im Gegenteil – so gut er konnte, offenbarte er seine Meinung über Breber, so wie er ihn beurteilte, nach allem, was er von ihm wußte. Er rief sich Details ins Gedächtnis, Einzelheiten über Einsätze, bei denen sich Breber hervorgetan hatte, seine Grausamkeit, seine Zerstörungswut. Er malte wildbewegte Szenen aus, Bilder des Untergangs und des Grauens – glühende Dämmwände, weiße Metallschmelzen, das Bersten des Schiffs.

Er wird ... van Steen zögerte offenbar, den Gedanken zu Ende zu denken.

Er wird es tun, bestätigte Mortimer. *Verlassen Sie sich darauf!* Er spürte, daß der andere Angst bekam, eine beherrschte, ethisch untermauerte Angst – er dachte an seine Mitarbeiter, an das Schiff und dessen Aufgabe –, aber immerhin Angst. Und wieder ertappte sich Mortimer beim triumphierenden Gefühl, gewonnen zu haben, und wieder verschloß sich die Bereitschaft des anderen zum Nachgeben prompt. Mortimer fühlte ganz deutlich – das ausgemalte Bild der Zerstörung tat seine Wirkung, aber der Professor schreckte vor der Möglichkeit zurück, irgendwie getäuscht oder überrumpelt zu werden.

Wer garantiert, daß Sie sich an unsere Abmachung halten? formulierte er seine Zweifel.

Professor, ich glaube, Sie sind sich Ihrer Situation doch nicht ganz bewußt. Es ist jetzt fünfzehn Uhr vierzig. Breber wird gleich zum Radiator gehen, um ihn aufzuheizen. Es wird etwa zwanzig Minuten dauern, bis die kritischen Werte erreicht sind. Der einzige, der ihn zurückhalten kann, sind Sie. Ich werde Ihnen einen letzten Vorschlag machen. Doch zuerst eine Frage: Sie können sich doch sicher jederzeit kurzfristig aus Ihrer Erstarrung lösen, oder nicht? Wie lange brauchen Sie dazu?

Als der Professor zögerte, fuhr Mortimer fort:

Sie brauchen mir nicht zu antworten. Wenn Sie es nicht ver-
mögen, ist sowieso alles verloren. Ich rate Ihnen: Kehren Sie so
rasch wie möglich in den Normalzustand zurück. Ich werde Sie
erwarten und zum Radiator bringen. Sie können sich selbst über-
zeugen – und handeln, wie Sie es für richtig halten.

Mortimer richtete sich auf, schaltete die Verbindung ab und
sagte: »Wir kommen nicht darum herum!«

»Sollten wir nicht lieber versuchen, es aus ihm herauszuprü-
geln?«

»Nein«, antwortete Mortimer. »Wir sind auf seinen guten
Willen angewiesen. Unsere Kenntnisse genügen nicht, beurteilen
zu können, ob er uns nicht mit technischen Tricks übers Ohr
hauen will. Er könnte alles Mögliche mit uns anstellen – uns
einem tödlichen Gasgemisch aussetzen und so weiter. In Wirklichkeit sind wir viel mehr in seiner Hand, als er vielleicht weiß.
Wir können nur hoffen, daß er an ein ehrliches Spiel glaubt
und sich deshalb an die Regeln hält.«

Breber öffnete die Tür. »Schluß mit dem Getrödel! Fangen
wir endlich an. Ich werde ihnen einheizen.« Er lief eilig davon.

Der Posten vor dem Labor mit den gefangenen Wissenschaftlern hatte die Tür geöffnet. Guido und Mortimer beobachteten
die reglose Gestalt van Steens mit wachsender Unruhe.

»Hoffentlich kann er sich selbst erwecken«, meinte Guido.

»Daran zweifle ich nicht«, entgegnete Mortimer. »Sie beherrschen das Gehirngeschehen so gut, daß sie zweifellos durch bestimmte Denkvorgänge, beispielsweise das Vorstellen von Co-
des, Buchstabenkombinationen und dergleichen, Schaltvorgänge
auslösen können. Unter Umständen könnten auch die Wunsch-
bilder allein genügen. Wahrscheinlich sind es nur gewisse Kontrollautomaten zum Schutz von Menschenleben, die uns davor
schützen, daß er schon jetzt einen für uns schädlichen Befehl
gibt.«

Guido verkniff zweifelnd das Gesicht.

»Warum läßt er sich soviel Zeit?«

Nach einer Weile fuhren sie beide gleichzeitig auf. Ein Zittern ging durch den Körper des Gelehrten, seine Wangen röteten sich rasch, dann flatterten die Augenlider, und die Hände schlossen und öffneten sich abwechselnd.

Guido blickte auf die Uhr. »Noch sieben Minuten.« Mortimer trat an van Steen heran, um ihm beim Aufstehen zu helfen, doch der Arm, den er packte, fiel kraftlos zurück.

Aus dem Heck des Schiffes drang ein Rauschen.

»Wenn es nur nicht zu spät wird!« Guido konnte seine Unruhe nicht länger bezähmen. Mortimer deutete auf das Gesicht des Professors. Die Augen waren geöffnet. Die Lippen bewegten sich. Ächzende, geflüsterte Worte drangen dazwischen hervor, waren nur schwer zu verstehen.

»Eine Minute noch . . . gleich bin ich . . . wieder in Ordnung.«

»Wenn er sich nicht beeilt, dann brät uns Breber wie Hähnchen am Spieß«, sagte Guido. »Kein sehr erfreulicher Gedanke.«

Der Professor hatte die Zeit aber richtig eingeschätzt. Nach einer Minute erhob er sich, wenn auch mit Mühe, glitt vom Lager herab, und ging einige taumelnde Schritte vorwärts. Guido und Mortimer stützten ihn und brachten ihn zum Aufzug. Dreißig Sekunden später standen sie im Schaltraum, im Mittelteil des Schiffes, von dem aus der Reaktor, die Wasserstoff-Ionisierungsanlage und das Beschleunigungssystem zu steuern waren. Breber saß auf dem fahrbaren Bedienungssessel, eine Zigarette im Mundwinkel und eine Flasche Whisky in der Hand – wer weiß, wo er sie aufgetrieben hatte! Er hatte die Augen halb geschlossen, ein verzückter Ausdruck breitete sich auf seinem Gesicht aus.

Van Steen riß sich von den Helfern los und wankte zur Schalttafel. Die Aufheizgeschwindigkeit des Mesonen-Antimesonen-Plasmas war auf den Maximalwert geschaltet. Die schwarze Linie des Temperaturzeigers näherte sich dem roten Bereich. Im Moment herrschten in der Kammer 400 Millionen Grad Mesonentemperatur.

»Bluff!« urteilte der Professor, aber er fühlte sich nicht wohl in seiner Haut.

»Sie werden sich noch wundern«, kündigte Guido an.

450 Millionen Grad.

500 Millionen – die Sicherheitsgrenze.

»Ein durchsichtiges Manöver«, ächzte van Steen. »Das automatische Kontrollsystem schaltet sich von selbst aus, sobald Gefahr besteht.«

Guido antwortete nicht, doch er deutete wortlos auf einen Teil des Schaltpults, von dem der Deckel abgehoben war. Die Ordnung der Struktur war selbst für das ungeschulte Auge erkennbar gestört – einige Drähte waren mit Krokodilklammern an Kontakten befestigt und überbrückten dazwischenliegende Schaltelemente.

Van Steen holte ein Taschentuch heraus und trocknete sich die Stirn.

»Aber er wird doch nicht so wahnsinnig sein . . .«

Guido trat auf ihn zu und packte ihn bei den Schultern.

»Um Gottes willen, Mensch, begreifen Sie denn nicht, daß wir wirklich bis zum Letzten gehen!«

Der Professor schüttelte den Kopf.

Der Raum war von einem Dröhnen erfüllt, das schon allein aus seiner gewaltsamen Kraft heraus beängstigend wirkte. Nun mischte sich ein neuer Ton hinein, ein Singen wie von einer Kreissäge. Breber lauschte, als höre er Musik. Mortimer beobachtete es mit Besorgnis.

550 Millionen Grad . . .

600 Millionen Grad . . .

»Bluff«, sagte van Steen wieder. »Es ist ein Sicherheitsabstand berücksichtigt. Ihr kennt ihn ganz genau – aber ich kenne ihn auch, er endet erst bei 700 Millionen Grad.«

Allmählich wurde die Klimaanlage mit der Abkühlung nicht mehr fertig. Von der Seitenwand her strahlte die Hitze in den Raum, kroch heran wie ein Tier.

650 Millionen Grad . . .

700 Millionen.

Die letzte Grenze war überschritten. Die Hitze unterband den

Atem. Der Schweiß lief in Bächen über die Haut. Plötzlich lag ein roter Schimmer über der Einrichtung, auf den Wänden, auf der Kleidung, auf verzerrten Gesichtern. Er kam von einem purpurnen Fleck auf der Seitenwand, die der Plasmakammer am nächsten war. Ein brenzlicher Geruch breitete sich aus. Die Lakkierung der Instrumentenumkleidung verflüssigte sich und rann in moosartigen verzweigten Rinnsalen zu Boden. Der Fleck auf der Wand wurde orangerot, gelb ... auf einmal wölbten sich die Ränder hoch, und ein Klumpen von verflüssigtem Isolationsmaterial beulte sich aus wie ein riesiger zäher Tropfen, floß in den Raum, ergoß sich über den Boden, wobei es einen Streifen von verkohlendem Bodenbelag vor sich herschob.

800 Millionen Grad!

Jetzt brach van Steen zusammen. »Aufhören! Ihr Wahnsinnigen! Ich bin bereit. Ich nehme die Bedingungen an. Aber hört sofort auf!«

Guido sprang zum Schaltpult vor und griff nach dem Hebel der Temperaturregelung. Da drehte sich Breber herum und stieß ihn zurück. Sein Gesicht war eine grinsende Maske. Der Speichel lief ihm aus den Mundwinkeln.

»Finger weg!« brüllte er.

Das Dröhnen und Kreischen war so laut geworden, daß man die Worte kaum vernahm, aber die Gesten Brebers waren unmißverständlich. Er riß die Gammapistole hoch und richtete sie auf Mortimer, der den unwillkürlichen Ansatz einer Fluchtbewegung gemacht hatte.

»Breber, hör doch, er hat zugestimmt!« schrie Guido, und wollte auf diesen zulaufen, aber ein Gammastrahl versengte den Boden vor ihm und warf ihn zurück.

»Aufhören, Breber! Abschalten!«

»Glaub ihm nicht!« brüllte Breber. »Der alte Schuft will uns betrügen. Ich mache Schluß. Untergang im Feuerzauber! Finale in der Hölle!«

Mit dem Fuß stieß er den Hocker gegen die glühende Wand – der Schaumgummisitz ging in Flammen auf. Rauch verdunkelte die Sicht. Die Luft war nicht mehr atembar. Van Steen fiel zu Boden.

Mortimer preßte sein schweißnasses Taschentuch vor die Nase. Er hatte das Gefühl, am Ende seiner Kräfte zu sein, aber noch hoffte er auf eine Chance, das Schiff und damit auch das eigene Leben zu retten. Durch tränende Augen beobachtete er Breber, der mit der rechten Hand noch immer seinen Strahler hin- und herschwenkte, mit der linken aber alle Gegenstände ergriff, die er erreichen konnte und in die Flammen warf. Das Rinnsal der dampfenden Schmelze näherte sich ihm von rechts, und nun brach ein Stück Decke polternd herab, und Breber mußte beiseitespringen ... In diesem Moment drückte Mortimer rasch auf den Lichtschalter, den er hinter sich gefühlt hatte, und im gleichen Moment verwandelte sich der Schaltraum in eine glühende und rauchende Vulkanlandschaft – und der teuflische Schatten Brebers, der sich noch im Sprung befand, wankte, strauchelte und sank zu Boden. Sein Schreien, oder war es sein brüllendes Gelächter? übertönte selbst den höllischen Aufruhr der Elemente.

Mortimer drückte wieder auf den Schalter – trübes Licht füllte den Raum wie eine Flüssigkeit ... Brebers Körper lag unbewegt in der dampfenden Lavamasse. Mortimer sprang vor und riß den Hebel der Temperaturregelung auf Null herab. Die Haut seiner Finger blieb daran kleben, denn der Knauf war glühend heiß ... Er sah, daß Guido die Tür geöffnet hatte und van Steen hinauszerrte ... Mortimer fühlte eine seltsame Schwäche in seinen Beinen ... der Raum verdunkelte sich vor seinen Augen – die Lichtleitung war geschmolzen ... er stand inmitten einer brodelnden Masse aus Rauch und Lava ... und in einem letzten hellen Augenblick, in dem ihm die Angst, das Bewußtsein zu verlieren, zu einer ungeheuren Kraftanstrengung herausforderte, warf er sich in Richtung auf die offene Tür, fühlte einen kühlenden Luftzug ... prallte auf den Boden auf. Kräftige Hände packten ihn an Armen und Beinen und zogen ihn von der Glut fort. Dann übermannte ihn die Dunkelheit.

*

Es war ein wonniges Gefühl, die goldene Wärme der Sonne auf der Haut zu spüren, im ungedämpften Licht zu baden. Aber es ermüdete.

Sie hatten sich auf einer Bank niedergelassen, die der breiten, scheinbar im Fluß erstarrten Gletscherzunge entgegengewandt war. Sie sprachen nur wenig, aber sie genossen ihr Dasein wie eine Kostbarkeit, den Frieden des Geborgenseins, das Gefühl, eins zu sein in der eigenen Welt, dazuzugehören, zu Hause zu sein.

Mortimer ließ die Hand seitlich an der Lehne vorbeigleiten; ein Glitzern hatte den Gleichklang der Zeitlosigkeit durchbrochen. Er griff in den Streusand hinein, ließ die trockenen Körnchen durch die Finger gleiten, empfand ein streichelndes Gefühl. Einige größere Körner glitten zu Boden, hüpften kurz seitwärts, gingen wieder ein in ihr Element. Mortimer las noch ein paar zusammen, drehte sie zwischen Daumen und Zeigefinger, streute sie in die Handfläche: sie waren scharfkantig, schalig gebrochen, glänzend schwarz oder auch pastellgetönt, durchsichtig. In einigen bemerkte er winzige, sich zwiebelschalenartig um ein Zentrum schließende milchigmatte Kugelflächen – die Spuren von strahlenden Einschlüssen.

Ein leichter Luftzug erwachte, strich über die Blattpolster und regte sie sanft, kühlte die sonnendurchleuchtete erhitzte Haut.

»Wollen wir zurück ins Hotel?« fragte Mortimer.

Maida blickte traumverloren in eine Wolke federleichter Flugsamen, die langsam dahinzog, aufstieg, vielleicht zehn Meter hoch, unversehens hielt, als wäre sie auf ein Hindernis getroffen, leicht nach unten weiterzog, dann und wann elegant die Richtung wechselnd wie ein Schwarm Makrelen, und schließlich von einem Wirbel zerrissen wurde. Sie haschte nach einem der winzigen Flaumknäuel, das vom Schwarm abgekommen war, doch es wich aus, hob sich empor und trieb davon, wer weiß wohin.

Sie saßen noch lange beisammen, in der Atmosphäre völligen Friedens, jeder im Bewußtsein, daß die beiden anderen ganz dasselbe empfanden, daß es keine Grenzen zwischen ihnen gab.

»Lassen Sie nur, mir ist nicht kalt.«

»Sind Sie schon in diese Richtung gegangen? Wohin führt dieser Weg? Kommt, wir sehen nach!«

Lucine war aufgesprungen. Sie deutete auf einen flachen Hügel, zu dem ein vielfach gewundener Pfad führte.

»Warum nicht!« Mortimer reichte Maida die Hand und half ihr auf. Sie schüttelte den Bann der Entrücktheit von sich und lächelte, als sähe sie sich ertappt.

Gemächlich schlenderten sie durch den knirschenden Glassand, manchmal blieben sie an einer besonders auffallenden Blumengruppe stehen, vor den Beeten und Hekken aus niedrigen pelzigen Sträuchern und vielfach verzweigten, am Boden dahinkriechenden Ranken. Da und dort wuchsen aus den Pflanzengruppen eigentümliche Neubildungen heraus, ein hoher Doldenstengel mit Blüten, die wuchernd ineinanderwuchsen, braune Trauben, die wie Spielkugeln auf dem Moos lagen, farblose Albinogewächse, Greisenbärte aus Luftwurzeln.

Dann standen sie vor dem Ende des Weges, oder vielmehr vor einer Kette, die ihn versperrte.

»Schade«, sagte Lucine. Sie kehrten um, wanderten zurück zur Felsterrasse, die von Infrarotstrahlern erwärmt wurde. Die Sonne hatte sich deutlich gesenkt, in einer Stunde hatte sie ein Viertel des Himmelsrunds durchzogen. Im Lift fuhren sie hinauf, in das Arbeitszimmer an der Spitze des Gebäudes. Sie lehnten an der Brüstung und ließen ihre Blicke ringsherum schweifen. Von hier aus erschien das Tal noch lieblicher, geradezu spielzeughaft – vielleicht lag es am Gegensatz der drohenden Felsmauern, die sie umschlossen wie eine Palisadenwand. Schon schirmten sie einen Teil des Lichtes ab, schwer lastete eine ungeheure Schattendecke über den Westhängen. Man sah es fast körperlich, wie die Dunkelheit und die Kälte das warme Grün unter sich begruben, man merkte die Kraft, mit dem dieser Widerstreit ausgetragen wurde, an den Wellen, die die Windstöße in der Pflanzendecke aufwühlten, Wellen, die in den Blüten und den Blattzacken behende dahineilende Kämme aufwölbten. Die Grenze zwischen Helle und Schatten wich langsam, aber unwiderruflich zurück, und als sie die Kuppe des Hügels erreichte, an dem der Weg geendet hatte, ergab sich ein seltsames Spiel des Lichtes – es war, als krümmten sich die Strahlen um die Hügelkuppen herum, als schöbe sich dahinter kurzfristig ein Streifen der Landschaft hervor, der sonst unsichtbar war, und plötzlich merkte Mortimer, daß er etwas anstarrte, was dahinter zum Vorschein gekommen war, und es erschien ihm abstoßend und bekannt zugleich, drohend und beunruhigend – ein Tor, das dort in die Felswand eingelassen war, ein Ding aus fremden Sphären, ein Hinweis darauf, daß das Tal nicht das war, was es zu sein schien. Es war keine Welt für sich.

15

Der Professor hatte Wort gehalten. Der Großteil der Menschen auf dem Schiff lag friedlich in den Kojen der Kabinen und auf den Notbetten im Antigravraum, allen Nöten des Mangels und des Schmerzes entronnen. Die Injektionen hatten ihre Wirkung getan, der Schlaf hatte sich über sie gesenkt, ein Schlaf, der alles erfaßte, nur nicht das Gehirngeschehen, das sich, wie van Steen erklärte, auf einer niedrigeren energetischen Ebene abspielte und sich darum durchaus mit der Erstarrung oder richtiger gesagt, Verlangsamung der übrigen Körperfunktionen vertrug. Ein Schlaf, durch ein kompliziertes System von Kontrollen in allen Belangen überwacht – der Herzschlag wurde ständig registriert, der Blutdruck, der Sauerstoffverbrauch, die Kohlendioxidausscheidung; bei irgendwelchen Unregelmäßigkeiten wurde der Betreffende sofort geweckt und der verantwortliche Arzt mit ihm. Wenn sich die Boden- und Deckenteile der Betten in den Kabinen aneinanderlegten, dann schlossen sich zur gleichen Zeit die Netze aus Gravitonenleitern, eine Art Faradayscher Käfige, die die Schwerkraft abschirmten, die Wirkungen des Andrucks aufhoben. Aus unzähligen Düsen, die mit der Klimaanlage verbunden waren, erfolgte die Versorgung mit Feuchtigkeit und Luft – durch die Registrierung automatisch den jeweiligen Bedürfnissen angepaßt. Schließlich war am Kopfende jeden Lagers auch noch eine Gehirnstromantenne angebracht, so daß der Ruhende in Gedankenaustausch mit allen anderen treten konnte. Durch einen mentalen Befehl konnte er sich auch beliebig lange ausschalten, wobei er jedoch für intensive Impulse ansprechbar blieb, so daß im Fall einer Gefahr jeder zu erreichen war. Die in den Notquartieren Untergebrachten allerdings waren nicht ins Kommunikationsnetz einbezogen, aber für die Überwachung ihres Gesundheitszustandes war gesorgt.

Im Wachzustand befanden sich nur noch sechs Menschen: van Steen, seine Assistentin Lucine, der Mediziner, der die Blutanalysen vorgenommen hatte, Guido, Olson, der Chefingenieur und

-pilot, sowie Mortimer, der als eine Art Verbindungsmann zwischen den Wissenschaftlern und den Aufständischen fungierte. Die Stillegung der Besatzung hatte in höchster Eile vor sich gehen müssen, da vor allem der Sauerstoff so gut wie zu Ende gewesen war. Für die sechs übrigen reichte die Regenerationsanlage aus, und sie merkten schon, wie sich die Luft verbesserte.

Olson, der Ingenieur, hatte den Reaktor untersucht und festgestellt, daß des toten Brebers letztes Experiment außer einer geringfügigen Strahlenverseuchung und der Zerstörung der Einrichtungen und Zwischenwände keine schlimmen Folgen gehabt hatte. Das Rahmenwerk und das Kraftwerk selbst waren intakt geblieben. Olson hatte das Schiff bereits umgedreht, um es zu verzögern und anschließend wieder zur Erde zurückzusteuern.

Es gab nichts mehr zu besprechen, die Verfolgerschiffe waren längst aus dem Gesichtsfeld verschwunden, von ihnen drohte vorderhand keine Gefahr. Erst in Erdnähe hatten sie sich wieder mit ihnen auseinanderzusetzen, aber das hatte noch Zeit. Zuerst mußte das Schiff im selben Maße verzögert werden, wie es bisher beschleunigt worden war, und dann erst begann der eigentliche Rückzug. Wenn sie sich alle in die Kojen begaben, konnten sie allerdings weitaus schneller als mit einem g verzögern, aber davor schreckte Guido zurück.

»Zumindest einer von uns muß als Wache zurückbleiben. Es könnte irgendeinen Zwischenfall geben, der rasches Handeln erfordert.«

Vergeblich suchte ihm das der Professor auszureden. »Über das Kommunikationssystem können Sie doch stets mit allen Instrumenten verbunden bleiben und sogar Schaltungen vornehmen. Wir würden Zeit gewinnen!«

»So eilig haben wir es auch wieder nicht«, widersprach Guido. »Ihre Instrumente mögen einwandfrei funktionieren – ich verlasse mich doch lieber auf einen Menschen.«

Sie saßen in der Zentrale an der Spitze des Schiffes, von wo sie über acht Bildschirme die acht Oktanten des Gesichtsfeldes überblicken konnten. Olson, der sich an der Diskussion beteiligt hatte, wies plötzlich auf eine der Leuchtscheiben. »Das ist etwas Eigenartiges! Seht ihr – die Lichterscheinung dort drüben!«

In der Tat – dort glomm ein unbestimmt grünlich und bläulicher fluoreszierender Zylinder auf, verschwand, erschien wieder, ein wenig seitlich verschoben. Er lief parallel zur Längsachse der Rakete und verengte sich nach beiden Seiten perspektivisch zu einem Faden, der sich im schwarzen Himmel verlor.

Van Steen lief aufgeregt an die Instrumententafel, verstellte einige Schrauben, beobachtete ... der farbige Linienfächer eines Spektrogramms leuchtete auf einer Mattscheibe auf.

»Es sind Fluoreszenzlinien dabei ...«, murmelte van Steen. Er drückte einige Knöpfe des Schnellrechners, verglich die Zahlen auf dem auslaufenden Papierstreifen mit einer Tabelle, die er nach einigen raschen Einstellungen am Lesegerät an die Wand projizierte.

Dann setzte er sich erschöpft auf den Drehstuhl.

»Damit habe ich nicht gerechnet«, flüsterte er niedergeschlagen.

»Eine Waffe?« fragte Olson.

»Ein Laserstrahl«, antwortete van Steen. »Aus einem Verstärker für Höchstfrequenzen. Eine Art riesenhafter Gammastrahlpistole. Nur ist der Strahl parallel und genau in Phase. Wir hatten etwas ganz anderes damit vor. Und nun ...«

»... nun schießt man damit auf Sie!« setzte Guido fort. Trotz der Gefahr, die ihn selbst bedrohte, vermochte er seine Schadenfreude nicht zu unterdrücken.

»Seit Jahrhunderten wurde keine Entdeckung mehr für zerstörerische Zwecke mißbraucht«, sagte der Gelehrte leise, wie zu sich selbst. »Ich verstehe das nicht!«

»Cardini nimmt keine Rücksicht«, hetzte Guido, doch Lucine unterbrach den Streit: »Können wir getroffen werden? Um Gottes willen, man muß doch etwas dagegen tun!«

»Sie hat recht«, unterstützte sie der Arzt. »Können wir nicht ausweichen?«

Inzwischen hatte sich die Leuchterscheinung nach der anderen Seite verlagert. Einige Male kam sie bedrohlich nahe.

»Dazu müßten wir schneller sein als das Licht«, sagte van Steen. »Wir könnten höchstens von unserer Route abweichen, um aus dem Schußfeld zu kommen.«

Olson setzte sich an die Schalttafel, und nach einigen Einstellgriffen versuchte eine Kraft ihnen das Gleichgewicht zu nehmen, sie beiseite zu drücken. Das Schiff drehte sich wieder, etwa dreißig Sekunden lang dauerte es – man erkannte es an den Lichtstreifen, die nun im schiefen Winkel durch die Blickfelder liefen. Dann erhöhte Olson die Beschleunigung auf nahezu zwei g. Allmählich schoben sie sich aus der gefährlichen Zone heraus.

»Sind wir jetzt in Sicherheit?« fragte Lucine.

»Vorderhand ja. Sicher peilen sie uns mit Radar an. Aber wie lange dauert das? Man könnte es rasch überschlagen.« Wieder bediente van Steen das Rechengerät. Dabei murmelte er Zahlenangaben und physikalische Fachausdrücke vor sich hin: »Entfernung von der Erde... 10712 Millionen Kilometer... Lichtgeschwindigkeit 300000 Kilometer je Sekunde... das macht... 8 Stunden und 15 Minuten. Das ist die Zeit, die ein Gammastrahl braucht, um von der Erde bis zu uns zu wandern. Dieselbe Zeit brauchen sie, um unsere Kursänderung festzustellen. Es ist ähnlich wie bei Schrotschüssen. Ein genaues Zielen ist auf diese Entfernung unmöglich – sie müssen hoffen, daß einmal ein Schuß darunter ist, der ins Schwarze geht. Also bleibt uns etwa das Doppelte, um auszuweichen. Das ist nicht viel. Gegen Ende dieser Spanne müssen wir den Kurs von Neuem ändern. Und dann wieder, immer wieder...«

»Sind wir dann in Sicherheit?« fragte der Arzt.

Van Steen zog den Kopf zwischen die Schultern. »Sicherheit gibt es nicht. Nur eine Trefferwahrscheinlichkeit. Moment – ich will versuchen, sie abzuschätzen...« Wieder murmelte er vor sich hin. »Die Breite des Streukegels dürfte etwa...«, er spähte auf den Leuchtschirm, der den von ihnen eben verlassenen Sektor zeigte. Noch immer zogen die Lichtfäden quer hindurch.

».. . sagen wir 120 Kilometer sein – .. . die Breite eines Strahlenbündels liegt bei nun, etwa 100 Meter. Die Impulsdauer beträgt .. .« Er drückte auf den Knopf des Chronometers, beobachtete das Auftauchen eines Strahls, stoppte. »Eine Zehntel Sekunde. Vorausgesetzt, daß wir innerhalb des Streukegels sind, bedeutet das, daß .. . einen Augenblick .. . ja, das ist der Wert: Sie brauchen 14 400 Einzelimpulse, um die gesamte Zielfläche abzutasten. Das heißt, nach fünf Jahren spätestens sollten sie uns haben.«

Lucine hatte den Ausführungen ihres Chefs mit angstgeweiteten Augen gelauscht. Jetzt rief sie: »Wie können Sie jetzt an Zahlen denken! Sagen Sie lieber, was geschieht, wenn das Schiff getroffen wird?«

Der Professor wies auf die Lichtfäden an den Leuchtschirmen. »Die Gammastrahlen selbst sind unsichtbar. Was wir dort sehen, sind von ihnen getroffene Teilchen interstellarer Materie, die auseinandergesprengt, angeregt oder weggeschleudert werden. Von diesen Stoßvorgängen rührt das Licht – eine Fluoreszenzerscheinung. Das Schiff selbst ist zwar gegen Strahlung abgeschirmt. Aber ein Strahlenbündel solcher Intensität .. .« Er sprach seine Folgerung nicht aus.

Guido hatte sich ein wenig gesammelt. »Wir müssen überlegen, was zu tun ist. Eines allerdings kommt nicht in Frage – daß wir uns ergeben.« In seinem Künstlergesicht zuckte es nervös. Er suchte sich zu beherrschen und fragte dann: »Können wir diese Ausweichmanöver beliebig lange durchführen? Was meinen Sie, Professor? Es bleibt wohl nichts anderes übrig, als so schnell wie möglich davonzufliegen! Schließlich muß der Laserstrahl doch irgendwo schwächer werden!«

Van Steen schüttelte den Kopf. »Es handelt sich um ein Bündel geradezu idealer Parallelität.« Als er an Guidos zweifelnden Gesichtsausdruck ablas, daß dieser nicht verstand, fügte er hinzu: »Es verbreitet sich nicht, und verliert daher keine Energie. Und es ist so schnell wie das Licht – das heißt, es holt uns immer ein.«

»Aber irgend etwas müssen wir doch ...«, begann Guido, doch van Steen schlug mit der flachen Hand auf den Tisch. »Halt – da gibt es doch noch eine Möglichkeit.« Er überlegte kurz. »Ja, das ginge – wir können dem Gammastrahl zwar nicht davonlaufen, aber wir können soweit beschleunigen, daß die Gammastrahlung zu harmlosem Licht wird. Wir laufen sozusagen der Frequenz davon. Dazu müssen wir zwar auf ... 0,99999 c hinaufbeschleunigen, aber das ist kein Problem – Energie haben wir so gut wie unbeschränkt zur Verfügung, die Beschleunigungsmauer überwinden wir durch die Antigravzellen. So kommen wir schließlich doch noch zu unserer geplanten interstellaren Expedition!« Während seiner Worte hatte seine Stimme wieder einen frischeren Klang bekommen. Man hörte geradezu die Hoffnung darin schwingen.

»Mein Vorschlag«, sagte er, »wir beschleunigen mit hundert g – das ist die höchste erreichbare Schubleistung. Selbstverständlich müssen wir uns alle in die Schutzkojen begeben. Aus Ihrem Posten wird nichts, Guido!« Er wandte sich nun an den Arzt: »Bereiten Sie alles vor, Dr. Sic. Inzwischen werde ich ein Programm ausarbeiten, mit dem die Steuerung die Ausweichmanöver fortführt, solange es nötig ist. Erfreulicherweise werden sich die Abstände der nötigen Richtungswechsel rasch erhöhen! Beeilen Sie sich – jede Minute, die wir noch mit einem g dahinschleichen, kann tödlich werden.«

Es blieb ihnen keine andere Wahl. Sie legten sich in die Kojen und ließen sich die Injektionen geben, wobei sie wohl wußten, daß eine verringerte Trefferwahrscheinlichkeit noch lange keine Lebensversicherung bedeutete. Ihr Schicksal war noch völlig ungewiß. Sie konnten nicht ahnen, wie lange der Gammastrahlenbeschuß fortgesetzt wurde, wie lange sie fliehen mußten. Auf der Erde mochten Jahrhunderte vergehen, während sie durch den Raum jagten, ohne wesentlich zu altern – und das nicht nur durch ihren stillgelegten Metabolismus, sondern durch die Zeitdilatation, die bei den in Aussicht genommenen Geschwindigkeiten schon eine Rolle spielte. Sie bewegte sich gegenüber dem

Massenfeld des Weltalls, während die Erde relativ dazu in Ruhe blieb. Sie fielen aus ihrer Zeit, ihrem Jahrhundert hinaus. Nie wieder würden sie eine Erde betreten, die ihre eigene war; und alle ihre Ziele, um derentwillen sie gelebt hatten, wurden bedeutungslos. Das war unwiderruflich. Sie waren ausgestoßen.

16

Der Raum ist unermeßlich groß und unermeßlich leer. Und doch ist er voll von Ereignissen – Elementarteilchen werden und vergehen, Strahlung durchkreuzt ihn, Neutrinoschwärme jagen nach allen Richtungen, Sternnebel stoßen zusammen, durchdringen einander, lösen sich wieder. Elektromagnetische Wellen laufen in das Nichts. Meteore ziehen ihre Bahn, Staub wandert, isolierte Masseklumpen pfeilen durch das Vakuum – Einzelgänger wie die alten Wölfe, die, von ihren Rudeln ausgestoßen, in den Wäldern herumirren, ohne sterben zu können.

Dieses Geschehen hat keine Entsprechung im Lebensraum des Menschen. Diese Leere ist ihm fremd, ist dem Leben abhold; sie wirkt tödlich. Diese Regionen sind so fern vom sicheren Hort der Erde, daß selbst die Zeit ihre Abgründe öffnet. Und doch greift der Mensch hinein in das Unvorstellbare, das Unbegreifliche. Er streckt seine Fühler aus, die Radar- und Lichtimpulse, er horcht hinein in das Schweigen, blickt in die Dunkelheit, schickt seine Sendboten aus, Raumschiffe und Raketen. Und in diesen spielt sich das Schicksal der einzelnen ab, das lächerlich ist, gemessen am großen Geschehen, aber doch entscheidend für den, dem es geschieht ...

Ein Schiff treibt durch die Weiten des Alls. Ein Lichtfinger tastet danach. Die Energie des Gases aus Mesonen und Antimesonen wirft das winzige Nichts hinaus, das die Menschen von der Ewigkeit trennt. In diesem Nichts ist Leben, ist Hoffnung, ist Angst.

In ihren Kojen waren sie sicher, gelöst von der Schwere, getrennt von den Körpergefühlen, aber zugleich waren sie wehrlos. Jede Minute brachte sie weiter hinein in die Sicherheit, und doch konnte sie jeder Augenblick mit einem tödlichen Hauch überraschen, der sie zerstäubte, ohne daß sie etwas davon merkten. Trotzdem schalteten sie sich nie länger aus der Wirklichkeit aus, als die Notwendigkeit des Schlafs es verlangte – als könnten sie etwas versäumen, als fürchteten sie gleichsam, nicht dabei zu sein, wenn der letzte Schlag sie traf. Aber die Zeit verging, und sie lebten immer noch, und immer stärker glomm der Funken der Hoffnung in ihnen auf.

Mortimer erging es wie allen anderen: Noch nie hatten Menschen ihre Gedanken so klar und unmißverständlich übertragen können, noch nie waren sie so lange Zeit in unterbrochenem Kontakt gestanden – Teile eines großen, übergeordneten Denkens.

Sie alle lernten es, sich des Mittels der Verständigung zu bedienen. Sie lernten es, ihre Denkgeschwindigkeit dem Partner anzugleichen, sie lernten, jene Regungen, die sie als Privatestes für sich behalten wollten, in einem tiefsten Winkel des Gehirns zu verschließen, und sie lernten, sich nicht nur mit Worten, sondern auch mit unaussprechbaren Inhalten zu verständigen. Das Chaos der fremden Eindrücke, das sie anfangs zu überwältigen gedroht hatte, machte einer überhöhten Klarheit Platz.

Und noch eines: Sie hatten Zeit, hatten Zeit, ihr eigenes Leben zu durchdenken, hatten Zeit, die Meinungen anderer aufzunehmen, an ihrem Wissen teilzuhaben, hatten Zeit, daran die eigenen Ansichten zu schleifen, zu formen, zu vervollständigen. So verschieden sie auch im einzelnen waren, so unveränderlich auch ihre Eigenschaften und Antriebe blieben, so gewannen sie doch Verständnis für die Überzeugung und Nöte der anderen.

Für Mortimer gewann diese Pause der Besinnung noch eine besondere Bedeutung: Sie bot ihm zum erstenmal Gelegenheit, in sich selbst hineinzuhorchen, Erinnerungen aus zwei Schicksalsebenen wachzurufen, die Konsequenzen daraus auf einen Nenner zu bringen. Zweifellos war nur beabsichtigt gewesen, ihm

Baravals Sachwissen, seine Ortskenntnis, seine Verhaltensweisen zu übertragen – und dessen Körper natürlich, damit er seine Rolle einwandfrei spielen konnte. Die Anschauungen, die Wünsche und Ideale, Willenskraft, Charakter und Persönlichkeit sollten nur von Mortimer Cross kommen – er hätte er selbst bleiben sollen, nur mit einer Maske ausgestattet sein –, der Maske einer fremden Persönlichkeit. Aber es hatte sich erwiesen, daß Sachwissen nicht gesondert übermittelt werden kann, Vorstellungen sich nicht von ihren Färbungen und Wertungen trennen lassen. So war auch Baravals Persönlichkeit nicht völlig zugrunde gegangen, sondern lebte in Mortimer weiter. Genau genommen gab es keinen Mortimer mehr; er war geopfert worden – für das Ideal der Freiheit. Statt dessen gab es einen neuen Menschen, Mortimer Cross und Stanton Baraval zugleich, und auch wieder keinen von beiden, eher ein Zwitterwesen, in dem zuerst die ungezügelte Hingabe und Begeisterung, die Besessenheit und der Fanatismus vorgeherrscht hatten. Trotz allem: Das Selbstbewußtsein gehörte noch Mortimer Cross. Aber die letzten Ereignisse waren dazu angetan gewesen, die Flammen zu zügeln, und allmählich drang eine stillere aber festere Haltung zutage, zu der Elemente des nüchternen Baravals Wesentliches beitrugen. Mortimer hatte sich zuerst gegen die bessere Einsicht gewehrt, und oft hatten widersprechende Gefühle in ihm gekämpft, aber nun erkannte er mit Befriedigung, daß es keine Widersprüche geben mußte, und er war bereit, sich selbst in seiner neuen Form zu akzeptieren.

Aber das war nicht alles, was ungewohnt war an dieser Existenzform. Nicht nur mit sich selbst wurde Mortimer einig, auch mit den anderen ergab sich ein Verhältnis, eine Wechselbeziehung, die einmalig war, unbeschreiblich, oft geradezu unfaßbar. Gewiß, jeder verstand die Beweggründe des anderen besser als je zuvor, und so wuchs ihre Beziehung von vornherein auf der Basis einer sonst nirgendwo erhoffbaren Toleranz. Daneben, oder darüber hinaus, dämmerte aber manchmal noch die Ahnung von etwas viel Größerem, Umfassenderem. Es gab Augenblicke, da dachten und empfanden sie wie ein übergeordnetes Ganzes, wie ein einheitlicher Organismus, die Zusammenfassung zu einem Pluralwesen, das gewiß vielerlei Widersprüchlichkeiten aufwies, in dem sich aber manchmal so etwas wie ein Überwille, ein Überbewußtsein oder ein Überich andeutete. Sie hatten das Gefühl, und das empfand wohl jeder gleichartig, daß das menschliche Dasein Weiterungen bietet, die ans Wunderbare grenzen. Doch um sie auszuschöpfen, mußten wohl günstigere Entfaltungsmöglichkeiten geboten sein.

Ganz eigentümlich war Mortimers Verhältnis zu den beiden Mädchen, mit denen er bisher in Kontakt gekommen war. Als angenehm empfand er es, daß sein jetziger Zustand offenbar nichts Engelhaftes, nichts Vergeistigtes an sich hatte, sondern daß er durchaus zu Empfindungen fähig war. Die körperliche Trennung ließ sich zwar nicht umgehen, aber dafür waren den Gedanken keine Grenzen gesetzt, und der andere konnte darauf eingehen oder nicht, konnte sich offenbaren oder sich verschließen, konnte sich dem anderen anpassen, inniger als es das normale Leben zuließ. Von Maida empfing er Wellen der Leidenschaft einer Intensität, die er einer Frau nie zugetraut hätte. Mit Lucine war alles ein unbeschwertes Spiel, ein Flirt, eher geistreich als triebhaft, eher heiter als tragisch, und doch brach manchmal ein Strahl einer Zuneigung durch, die auf mehr als auf der Basis gegenseitigen Verstehens und Vertrauens aufgebaut war. Mortimer hätte nicht angeben können, welches der beiden Mädchen er lieber mochte, die melancholische Maida oder die sonnige Lucine, aber auch das war eine der Fragen, die ihn vorderhand nicht rührten. Später freilich . . .

Sie lebten keineswegs so dahin, als ob es kein Später gäbe. Oft erwogen sie alle Möglichkeiten, doch sie kamen zu keinem endgültigen Ergebnis. Dazu konnten sie auch nicht kommen, denn die Zukunft war noch unbestimmt. Die Instrumente meldeten noch immer das Aufblitzen der Strahlen, die Trefferwahrscheinlichkeit sank, aber noch lag sie nicht auf Null, die Frequenz erniedrigte sich, aber noch war sie im Röntgenbereich und in dieser Intensität alles andere als ungefährlich. Und so blieb ihnen nichts anderes übrig, als sich weiter beschleunigen zu lassen, wodurch sie immer weiter aus ihrem Raum und ihrer Zeit hinausfielen.

Viel konkreter als die Zukunft ließ sich aber die Vergangenheit behandeln. Das bedeutete nicht, daß sie zu völliger Einheitlichkeit der Meinungen gelangten, doch sie empfanden diese Verschiedenheiten nicht als unüberbrückbare Gegensätze, sondern als Abhängigkeiten von verschiedenen Gesichtspunkten, wie sie auch eine Einzelperson empfinden kann. Zwei dieser ›Gespräche‹ blieben Mortimer unvergeßlich im Gedächtnis.

Das erste ›Gespräch‹

Derreck: Mortimer Cross, du erinnerst dich sicher an mich – wir waren die ersten, die Kontakt aufgenommen haben.

Mortimer: Ich erinnere mich.

Derreck: Für mich ist es etwas Seltsames, mich mit dir zu unterhalten, denn ich finde in dir meinen Freund Stanton Baraval wieder.

Mortimer: Ich habe mich lange dagegen gewehrt – aber jetzt glaube ich, ja, jetzt glaube ich es wirklich –, daß Baraval noch lebt. In mir.

Derreck: Es fällt mir schwer, das zu begreifen. Zwei Menschen. In einer Person vereinigt. Mit wem spreche ich? Wer gibt mir Antwort?

Mortimer: Beide.

Derreck: Und wessen Meinung höre ich?

Mortimer: Die Meinung beider. Eine vollständigere Meinung. Eine Meinung aufgrund eines höheren Informationsgehalts. Eine Meinung, die der Wahrheit näherkommt.

Derreck: Du, und jetzt spreche ich mit dir, Stanton, bist ein nüchtern wägender Mensch. Du bist hochintelligent, ein anerkannter Fachmann auf dem Gebiet der Soziologie. Jede Störung der Ordnung, des Gleichgewichts, muß dir widerwärtig sein.

Und du, und jetzt spreche ich mit Mortimer, bist ein Mensch des Gefühls, der Hingabe – ein Schwärmer. Du glaubst an Bestimmungen, Schicksal, Ideale. Du willst die Menschen glücklich machen – wenn es sein muß mit Gewalt. Und nun meine Frage: Wie verträgt sich das? An den Ereignissen, die uns hier zusammengeführt haben, am Versuch eines Umsturzes, warst du in doppelter Eigenschaft beteiligt – als Opfer, das man gekidnapt und seiner Persönlichkeit beraubt hat, und als Anführer, der einen Großteil der Schuld am Geschehen trägt. Was denkst du jetzt darüber? Wer wird mir antworten, Stanton oder Mortimer?

Mortimer: Ich werde dir antworten. Ich – das ist Mortimer. Ich fühle mich als Mortimer, trotz dieses fremden Körpers. Ich fühle mich als Mortimer, trotz mancher fremder Regungen. Ich fühle mich als Mortimer, wenn auch als ein älterer, gereifter. Ich fühle mich als Mortimer, und wenn ich jetzt über manches anders denke als früher, dann deshalb, weil ich hinzugelernt habe.

Derreck: Und die Antwort?

Mortimer: Ich glaube, daß das Leben der Menschen nicht mehr lebenswert ist. Man mußte etwas tun.

Derreck: Das, was ihr getan habt . . .

Mortimer: Es war wohl falsch. Es hätte gelingen müssen.

Derreck: Nur deshalb?

Mortimer: Dann wäre es die Opfer wert gewesen.

Derreck: Und was hätte eure Revolution für praktische Folgen gehabt? Ein wenig Chaos – und eine neue Regierung. Nicht mehr.

Mortimer: Mehr! Sie hätte die Freiheit für alle bedeutet.

Derreck: Und was war das Ergebnis? Ein Gewaltregime Cardinis.

Mortimer: Das ist es, was ich am meisten bedaure!

Derreck: Dazu gibt es keinen Grund. Es ist ganz gleich, wer die Regierung führt – ein Diktator oder die Liberale Partei – nach einiger Zeit laufen alle ins selbe Geleise ein.

Mortimer: Dazu sehe ich keinen Grund.

Derreck: Dabei ist es doch so einfach! Derzeit leben sechzig Milliarden Menschen. Bis auf wenige Ausnahmen drängen sie sich alle auf der Erde zusammen. Wer die Welt regieren will, muß mit ihnen fertig werden. Wer verhindern will, daß der Weltstaat auseinanderfällt, muß eine ungeheure Organisation beherrschen. Dazu braucht er ein Instrumentarium, das wir Wissenschaftler und Techniker in Jahrhunderten geschaffen haben. Die Überwachungsorgane, die statistischen Unterlagen, den OMNIVAC. Welche Regierung könnte auch nur eine Handbreit vom vorgezeichneten Weg abweichen?

Mortimer: Wir wollen ja keine zentrale Regierung. Wir wollen, daß jeder Mensch einsichtig genug wird, um selbst richtig handeln zu können. Wir zerschlagen das Überwachungssystem, wir vernichten die statistischen Unterlagen und werfen den OMNIVAC auf den Schrotthaufen.

Derreck: Du hast selbst erfahren müssen, daß es deinen Freunden keineswegs so eilig damit war, diese Instrumente der Macht zu vernichten.

Mortimer: Ich sehe jetzt ein, daß es zu gefährlich gewesen wäre. Eine gewisse Übergangszeit hindurch hätten wir uns ihrer wohl noch bedienen müssen.

Derreck: Und allmählich hättet ihr einsehen müssen, daß ihr auch nicht auf das Geringste verzichten könnt. So ist es bisher allen Regierungen gegangen, demokratischen, sozialistischen, theokratischen, marxistischen und wie sie alle heißen mögen. Jede Regierung geht diesen Weg.

Mortimer: Weil jede nur die Macht im Auge hat und nicht das Wohl des einfachen Bürgers.

Derreck: Im Gegenteil: Sie schlägt diesen Weg ein, weil sie das Wohl des einfachen Bürgers unter allen Umständen anstreben muß. Es ist die Basis jeder stabilen Regierung.

Mortimer: Willst du den Zustand der Ignoranz und Schläfrigkeit, in der sich der Bürger heute befindet, als sein Wohl bezeichnen?

Derreck: Er befindet sich in der relativ günstigsten Situation unter allen möglichen.

Mortimer: Das ist lächerlich.

Derreck: Es gibt keinen Zweifel. Der OMNIVAC hat es berechnet.

Mortimer: Trotzdem. Wenn die staatlichen Stellen mehr Geld für eine individuelle Erziehung ausgegeben hätten, gäbe es mehr Menschen mit Entscheidungskraft und der Fähigkeit, das Leben zu gestalten.

Derreck: Um in der heutigen Welt dein Leben zu gestalten, brauchst du einen OMNIVAC. Selbst ein Genie verfügt nicht über auch nur annähernd soviel Informationen wie der Computer. Das heißt, sein Urteil berücksichtigt weniger, und das bedeutet wieder, es ist kurzsichtiger, mangelhafter, unrichtiger. Das können wir uns nicht leisten. Wenn auch nur zwei Prozent der Menschen individuell, aber unrichtig handeln – das heißt gegen das Interesse der Allgemeinheit –, bricht unser System zusammen.

Mortimer: Wie können die Entscheidungen unrichtiger werden, wenn mehr Sorgfalt auf die Bildung des einzelnen gelegt wird.

Derreck: Bis jetzt entscheidet der OMNIVAC für sie – und er berücksichtigt die Auswirkung der fraglichen Handlung auf die Allgemeinheit vollständiger als jede Einzelperson. Wolltest du ein stabiles System auf Eigenentscheidungen aufbauen, so müßtest du alle in Supergehirne umwandeln. Ich bezweifle, daß sie das glücklicher macht.

Mortimer: Ich glaube, wir verstehen uns nicht. Du denkst an einen Ameisenstaat, in dem das Tun jedes einzelnen unzähligen Abhängigkeiten unterliegt. Ich denke an gebildete Menschen, die ihre Kraft wichtigen Problemen widmen, die eigene Gedanken haben, Wertvolles schaffen, auf dem Gebiet der Kunst meinetwegen oder dem der Wissenschaft – aber nicht so wie ihr es betreibt, im Kollektiv, mit Kompositionsrobotern und Maschinenparks. Die tiefe Erkenntnisse haben, aber nicht mit Hilfe von Automaten, sondern durch Versenkung, durch kontemplatives Denken. Um es ganz konkret zu sagen: Stell dir Familien vor, die in eigenen Heimen wohnen, die vormittags zur Arbeit gehen und nachmittags ihre Gärten bepflanzen, Bücher lesen, Theaterspiele aufführen oder singen. Ich muß da immer an einen Bildbericht in einer alten Illustrierten denken, die mein Vater seit seiner Jugendzeit aufbewahrt hat. Eine Obstfarm auf einer Mittelmeerinsel, weißgetünchte Einfriedungen, Bewässerungsgräben, ein Windrad, Mandel- und Zitronenbäume, ein Leben zwischen Blüten und Tieren, im ewigen Frühling einer Sonnenlandschaft, unter dem sanften salzhaltigen Wind, der vom Meer her weht. Siehst du die Bilder? Und ein Mann, der in Frieden lebt mit seiner Welt, abseits von den Großstädten mit ihren Hochstraßen und Sportarenen. Der vormittags sein Feld bestellt, die Früchte einsammelt, die ihm sein Land beschert, und sich am Nachmittag seiner Kunst widmet – frei von allen Bindungen, meilenweit vom Rummelplatz der Kommunikation entfernt. Der in diesen Stunden Werke schafft, die die Schranken von Jahrhunderten durchbrechen, und sich schließlich daran freut, wenn sie von den weißen Kalkwänden seiner Finca hinter zum Trocknen aufgehängten Maiskolben und Öllampen hängen – weil er weiß, daß sich echte Werke sowieso die Bahn brechen, auch ohne Manager, unabwendbar wie das Schicksal.

Derreck: Die Bilder, die du heraufbeschwörst, sind bestechend in ihrem Frieden und ihrer stillen Schönheit. Ich sehe sie, sehe die Farben, das weiße Netz im Grün der Beete, die gelben Flecken der Zitronen, den blauen Reif der Kakteen. Jeder wird diese Bilder traumhaft finden. Aber was ändert das schon? Eine einfache Rechnung zeigt, daß wir nicht jedem einzelnen von 60 Milliarden Menschen so viel Raum, so viel Bewegungsfreiheit geben können. Vor Jahrhunderten, und so alt muß die Illustrierte deines Vaters sein, waren die Güter der Erde ungleichmäßig verteilt. Zwei Drittel der Erdbevölkerung mußte hungern, was übrigens nur an einem Mangel der technischen Organisation lag. Man bebaute damals noch Felder, man züchtete Vieh, um es zu schlachten – was für unglaubliche Verschwendung.

Mortimer: Was hat die Technik dem Menschen schon gebracht? Ist er vielleicht durch sie glücklicher geworden?

Derreck: Welch unbilliges Verlangen, von der Technik Glück zu fordern! Fordere lieber größere Sicherheit, Freiheit vor Hunger, Krankheit, Not! – Ich weiß, was du antworten willst, du brauchst es nicht zu formulieren: Die Sicherheit, die Freiheit vor Hunger und so fort gilt dir wenig, du meinst die Freiheit des Geistes. Du solltest aber einmal fühlen, was der Mangel an diesen primitiven Freiheitsformen bedeutet, um ihren Wert zu erkennen ... Das ist es nicht allein? Du meinst, wir hätten seit dem fünfundzwanzigsten Jahrhundert keine Fortschritte mehr erzielt – es gäbe nicht weniger Hunger und Not als damals? Du hast recht – seit dem fünfundzwanzigsten Jahrhundert besteht der Weltstaat. Seit damals ist die ganze Welt technisiert. Der Lebensstandard Europas hatte sich über die ganze Welt ausgebreitet – das heißt, es gab keine Epidemien, keine Hungersnöte, keine Gewaltakte, keine Elendsviertel, kein Analphabetentum mehr. In der Rückschau bedeutet das wenig, aber für die ehemals Kranken, Hungrigen und Unterdrückten war es ein ungeheurer Fortschritt. Und dann eine Weltregierung, keine Kriege mehr. Für sie, die früher gelebt haben, etwas Unfaßliches. Aber solche Umwälzungen gehen langsam vor sich, dauern Jahrhunderte. In einer Menschengeneration merkt man wenig davon. Und so kommt es, daß niemand das Gute würdigt, das sich vollzogen hat.

Mortimer: Nicht nur Gutes hat sich vollzogen. Nennst du das gut, daß nun die gesamte Weltbevölkerung einer Herde angehört? Die Segnungen der Zivilisation mögen ihnen willkommen gewesen sein. Aber womit haben die Menschen bezahlt? Durch ihre Freiheit. Von damals an saßen sie im Joch der technischen Organisation, das ihnen den Atem abwürgte. Willst du bestreiten, daß die Technik unsere Freiheit beschränkt?

Derreck: Ja, ganz entschieden. Wenn die Technik etwas vermag, dann ist das der Durchbruch in größere Freiheit. Die Technik hat es dem Menschen zunächst ermöglicht, gegen seine Feinde mit wirksameren Waffen zu kämpfen als mit bloßen Händen, Tiere mit besseren Mitteln zu erlegen als mit der Schnelligkeit der Beine und der rohen Kraft. Mit dem Feuer nützte er Nahrungsmittel aus, die sonst unverdaulich geblieben wären. Er lernte es, sie zu konservieren, sie in haltbarem Zustand für den späteren Gebrauch aufzubewahren. Die Technik half ihm, sich von den Zufällen des Jäger- und des Sammlerdaseins zu befreien. Tierzucht und Landwirtschaft bedürfen eines wachen Verständnisses naturwissenschaftlicher Regeln und einer nicht zu verachtenden Organisation.

Mortimer: Das nenne ich nicht Technik. Was hat es mit unserer heutigen Daseinsform zu tun?

Derreck: Wo willst du die Grenze ziehen? Beim Hausbau? Beim Handwerk? Beim Webstuhl? Beim Schießpulver? Bei der Dampfmaschine? Bei der Elektrizitätswirtschaft? Beim Atomreaktor? Beim Computer? Bei den Zellkulturen? Bei der Weltraumfahrt? Beim Gehirnfokus? Alles sind nur Sprossen einer Leiter.

Mortimer: Gartenbau und Tierhaltung, Töpfern und Weben, Bauen und Schmieden – das sind natürliche Dinge; man bleibt mit den Produkten der Erde verbunden, sieht das Werk seiner Hände wachsen.

Derreck: So kommt es dir heute vor. Laotse, ein chinesischer Weiser, war nicht deiner Ansicht. Das Handwerk, den Verkehr der Boote, den Straßen- und Brückenbau hielt er für Entartungserscheinungen und hätte sie am liebsten verboten. Du siehst, daß die Sicht vom eigenen Standpunkt abhängt. Man kann eine Entwicklung, die so stark ist wie der Drang des Menschen zur Technik, nicht irgendwo in der Mitte abbrechen. Man hätte den ersten, der einen Stein behaute, um einen Schaber zum Abziehen der Haut erlegter Tiere zu formen, warnen, den ersten, der eine Laubhütte baute, in seine Höhle zurückjagen müssen. Aber das lag außerhalb des Bereichs unserer Entscheidungen.

Mortimer: Und wo ist nun die von der Technik geschenkte große Freiheit?

Derreck: Man konnte sie in zwei Richtungen nützen. Erstens: Der erzielte Gewinn an Arbeit und Zeit wird über eine gleichbleibende Zahl von Menschen aufgeteilt. Dann kommen wir deinem Ideal schon näher – und zwar mit Hilfe der Technik; denn wo gibt es schon Gegenden, in denen der Mensch mit den Früchten seiner Arbeit sein Auskommen findet? Er braucht Energie für Licht, für Heizung, zum Roden des Urwalds, zur Verteidigung gegen schädliche und gefährliche Tiere, gegen die Unbilden der Natur. Technik – das heißt ›mehr‹ mit geringerer Mühe. Bei einer gleichbleibenden Menschenzahl und steigender Technisierung bekäme jeder mehr – das Doppelte, das Dreifache, Fünffache, Zehnfache. Mit der heutigen Technik das Zweihundertfache. Die Technik brächte es fertig: die Erde zu einem Paradies zu machen.

Mortimer: Aber sie hat es nicht fertiggebracht.

Derreck: Warte noch einen Augenblick! Jetzt kommen wir zur zweiten Möglichkeit: Der erzielte Gewinn wird nicht über eine gleichbleibende Zahl von Menschen aufgeteilt, wodurch jeder über immer mehr verfügen könnte, sondern über eine ständig steigende Menge. Stell dir den Bevölkerungszuwachs so groß vor, daß jeder erzielte Gewinn aus dem rationalisierenden System der Technik sofort dazu verwendet wird, um einen weiteren Menschen am Leben zu erhalten. Und noch einen und immer noch einen – daß zuletzt für den einzelnen nicht mehr übrigbleibt als vor acht Jahrhunderten. Stell dir das deutlich vor: ein Stück dem Meer abgerungenen Landes, und schon kommt jemand neuer hinzu und nimmt es in Besitz. Weitere Arbeit, weiterer Erfolg, aber schon kommt der nächste, um ihn für sich zu beanspruchen. Und immer so weiter. Kannst du es sehen? Das ist unsere Situation – die Situation der Menschheit. Da hast du die Antwort auf die Frage, warum uns die Technik nicht glücklich macht.

Mortimer: So habe ich es noch nie gesehen.

Derreck: Es ist aber so! Heute gibt es sechzig Milliarden Menschen, doch die Kapazität unserer technischen Mittel ist ausgeschöpft. Es können nicht mehr viel dazukommen. Und solange es bei dieser Zahl bleibt, kann es niemandem bessergehen.

Mortimer: Dann müssen es weniger werden!

Derreck: Jetzt bist du überführt! Oder hast du nicht überlegt, was du damit gefordert hast? Weniger Menschen! Wie willst du das mit deiner Freiheit vereinbaren! Die Liberale Partei hat es der Regierung übelgenommen, als sie vor zweihundert Jahren die Geburtenbewilligung einführte. Sie hat das als einen Eingriff in die Grundrechte verurteilt, auf diesem Sektor völlige Freiheit gefordert. Wie aber glaubst du, sähe es heute auf der Erde aus, wenn sie mit ihrer Meinung durchgedrungen wäre? Nach einer Generation hätte es mehr Menschen gegeben, als die Erde hätte ernähren können. Die Hungrigen und Verzweifelten hätten mit Gewalt zu bekommen versucht, was man ihnen nicht hätte geben können. Es wäre der Rückfall ins Elend gewesen, der Rückfall in die natürliche Form der Auslese, die viel grausamer ist als unsere Planung, die nur soviel Freiheit gibt, wie möglich ist, diese aber gerecht verteilt. Und nun sagst du so dahin, man solle die Bevölkerungszahl einschränken. Ist dir denn nicht klar, daß das auf dem Weg des Individualismus zuallerletzt möglich ist! Wenn du ein solches Ziel verwirklichen willst, mußt du mehr planen als wir, mehr organisieren, in mehr Rechte eingreifen, mehr Zwang ausüben, Gewalt anwenden.

Mortimer: Aber . . . es muß doch einen Weg geben!

Derreck: Es gibt keinen. Ich will dir auch verraten warum: Der OMNIVAC ist auf das Prinzip höchstmöglicher Freiheit programmiert. Jede Abweichung von seinem Kurs bedeutet Freiheitsentzug.

Mortimer: Wir leben also in der besten aller Welten?

Derreck: Ja.

Das zweite ›Gespräch‹

Mortimer: Professor van Steen, darf ich Sie stören?

Van Steen: Du bist der Mann mit den zwei Gehirnen, nicht wahr?

Mortimer: So könnte man es nennen.

Van Steen: Ein interessanter Fall, wenn auch keine Sensation.

Die ungenützte Speicherkraft der grauen Gehirnrinde würde auch eine vierfache Belastung durch Information ohne weiteres ertragen. Sie unbehindert ins Bewußtsein übernehmen.

Mortimer: Und ist sicher nicht wieder zu trennen?

Van Steen: War es das, was du wissen wolltest? Nein, Bits sind nicht markierbar. Sie sind keine Individuen, genausowenig wie die Elementarteilchen der Quantenstatistik.

Mortimer: Zuerst habe ich mir gewünscht, es könnte wieder rückgängig gemacht werden. Aber jetzt finde ich mich damit ab.

Van Steen: Und das mit Recht. Es ist unbedingt eine Bereicherung, wenn auch keine optimale wie bei der Übertragung von Lehrstoff.

Mortimer: Das war es nicht, was ich fragen wollte. Ich habe mich in der letzten Zeit viel über den Stand des Wissens informiert, den Sie und Ihre Mitarbeiter erreicht haben. Dazu hat mich das Schiff angeregt, das ja ganz etwas anderes ist als eine Rakete des Planetendienstes – keine Verbesserung, wie meine Leute angenommen haben, sondern etwas völlig Neues. Um so weit zu kommen, müssen Ihre Vorgänger schon seit Jahrzehnten Kenntnisse erlangt haben, die weit über das hinausgehen, was auf der Erde bekannt ist.

Van Steen: Vorgänger ist vielleicht nicht der richtige Ausdruck. Wir haben Kollegen, die seit Jahrhunderten in den Laboratorien arbeiten. Es kommt auf jeden von uns von Zeit zu Zeit zu, daß er, um auf seinem Fachgebiet weiterhin Erfolg zu haben, Ergebnisse aus anderen Bereichen abwarten muß. Seit wir die Hormonbiologie und die elektrisch-chemischen Steuerungsvorgänge im menschlichen Körper beherrschen, ist die Stillegung des Körpers bei Aufrechterhaltung der Gehirntätigkeit zu einem bewährten Modus wissenschaftlicher Forschung geworden.

Mortimer: Sie sind eben auch in der Biologie und in der Medizin um entscheidende Schritte vorwärtsgedrungen. Und daher auch meine Frage: Warum lassen Sie Ihre Erkenntnisse nicht der ganzen Menschheit zugute kommen Warum behalten Sie sie für sich, obwohl Sie doch mit öffentlichen Mitteln arbeiten und ungeheure Summen verbrauchen.

Van Steen: Du irrst dich! Wir haben kein einziges Ergebnis verschwiegen! Alles und jedes, Wichtiges und Unwichtiges, Zahlenwerte wie Formeln werden im OMNIVAC gespeichert.

Mortimer: Und warum kommen sie nicht der Menschheit zugute? Hier sehe ich einen Weg, die Menschen glücklich zu machen. Warum wird er nicht beschritten?

Van Steen: Du irrst dich wieder. Was verwertbar ist, was dem Allgemeinwohl dient, wird selbstverständlich angewendet.

Mortimer: Wie kommt es dann, daß die gängigen technischen Hilfsmittel um Jahrhunderte veraltet sind?

Van Steen: Das sind sie nicht. Es ist ja auch nicht veraltet, zu Fuß zu gehen – im Rahmen der Entfernungen von einigen Schritten, für die ein Aufwand an Fahrzeugen unrationell wäre.

Mortimer: Sie haben neue Wege der Energiegewinnung gefunden, neue Operationsmethoden entwickelt, neue Medikamente entdeckt. Wie kann man von Rationalisierungsbetrachtungen ausgehen, wenn es gilt, Leiden zu mindern?

Van Steen: Völlig verkehrt gedacht! Es ist höchste ethische Pflicht, rational zu denken und rationell zu handeln, wenn es um Leid und Not geht.

Mortimer: Braucht man nicht eher Herz und Liebe?

Van Steen: Keineswegs! Sich bei Sozialmaßnahmen von Stimmungen leiten zu lassen, heißt, seinen eigenen Neigungen nachgeben. Dazu sind Not und Leid zu ernst. Herz und Gefühle! Da wären wir schlechte Verwalter der öffentlichen Mittel!

Mortimer: Aber glauben Sie wirklich, daß man in diesen Belangen mit Rechnen Erfolg hat?

Van Steen: Nur mit kühlem Rechnen. Selbstverständlich sind die Probleme zu komplex, als daß man sie der Unzulänglichkeit von Menschen überlassen könnte. Wir haben den OMNIVAC damit betraut. Seit ich mich erinnere, hat er nie versagt. Ich habe Einzelaktionen stichprobenartig geprüft. Der OMNIVAC ist so programmiert, daß er Not, Leid und Schmerz minimisiert. Das heißt, jede andere mögliche Verfahrensweise würde diese Größen erhöhen – auch die des Herzens und der Gefühle.

Mortimer: Hier sehe ich einen Widerspruch. Wenn es medizinische Verfahren gibt, die besser helfen als die üblichen – wie kann es da unrationell sein, sie anzuwenden?

Van Steen: Wenn der Aufwand für diese Anwendung so groß ist, daß dafür andere Behandlungen unterbleiben müssen.

Mortimer: Man könnte das Geld aus anderen Sektoren abzweigen. Etwa aus den Mitteln für den Straßenbau.

Van Steen: Wenn wir weniger Straßen haben, als zur Optimisierung nötig sind – und mehr bauen wir nicht –, arbeiten wir irgendwo mit Verlust. Da das Faß unserer Erde bis zum Bersten mit Menschen gefüllt ist, bedeutet das, daß irgendwo irgendwer unter diesem Verlust leiden muß.

Mortimer: Oder aus Mitteln für das Nachrichten- und Werbewesen!

Van Steen: Die Unterrichtung der Allgemeinheit ist ein Werkzeug, das uns hilft, die Ordnung aufrecht zu erhalten. Wenn wir Geld aus diesem Kreis abzweigen, bedeutet das eine Erhöhung der Sozialentropie, also größere Unordnung. Unordnung schafft Verlust – und, da wir die Kapazität der Erde bereits voll ausschöpfen, bedeutet das wieder, daß irgend jemand etwas entgeht, was er braucht. Denn Luxus können wir uns nicht leisten.

Mortimer: Und die ungeheuren Ausgaben der Vergnügungsindustrie – nennen Sie das keinen Luxus?

Van Steen: Aber gar nicht! Die gesamte Vergnügungsindustrie dient dem Abreagieren von Trieben. Damit meine ich nichts Minderwertiges – auch der Betätigungsdrang, die Entdeckerfreude, die Wißbegier gehören dazu. Daneben natürlich alles, was man gemeinhin unter Trieben versteht. Sie haben ihren Sinn in der Natur des Menschen – als Steuerimpulse für sein Tun. Gewiß könnten wir sie mit Medikamenten unterdrücken – aber das wäre ein Eingriff in die Freiheit, der nicht nötig ist, weil wir dasselbe Ziel billiger erreichen: durch Sportplätze, Filme und Spiele, Feste, religiöse Versammlungen und dergleichen. Wollten wir davon etwas wegnehmen, wäre eine gesteigerte Unruhe die Folge. Es käme häufiger zu triebhaft bedingten asozialen Handlungen. Asoziale Handlungen äußern sich in Zerstörungen und in Schmerz, der anderen bereitet wird.

Mortimer: Und es gibt keinen Ausweg?

Van Steen: Keinen. Du weißt es doch selbst. Als Staatsbeamter hast du selbst mit solchen Problemen zu tun gehabt. Du hast den OMNIVAC die Auswirkung eines erhöhten Nikotingenusses auf die Teilnehmerzahlen von öffentlichen Veranstaltungen ausrechnen lassen. Ich merke, daß du eben daran denkst. Daß alles mit allem verflochten ist, ist kein Beweis für ein schlechtes Staatsgefüge. Das System enthält keinen Leerlauf, keine überflüssige Redundanz.

Mortimer: Manche ethischen Forderungen sind aber in ihrem Gewicht so groß, daß sie auch in einem rationalen System bestimmend wirken müßten. Ich denke beispielsweise an jene Krankheiten, die heute richtige Geißeln der Menschheit sind – der Knochenabbau, die Blutzersetzung. Mit ihnen fertigzuwerden, wäre doch eines Opfers wert.

Van Steen: Vor mehr als zehn Jahrhunderten gab es eine andere Krankheit als Haupttodesursache der Alten und Anfälligen – den Krebs. Seit wir den Stoffwechsel der Zelle übersehen können, besitzen wir auch das Mittel, welches das Steuerrad in der chemischen Fabrik der Zelle, das auf haltloses Wuchern verschoben ist, in die normale Position zurückbringt – eine komplizierte Verbindung aus Zuckern und Nucleinsäuren, eine Matrizen-RNS. Was haben wir damit erreicht? Die Lebenserwartung verschob sich um fünf Jahre. Andere Krankheiten rückten in den Vordergrund – der Abbau der Gewebe, Entartungen des Alterns. Auch mit ihnen könnten wir fertig werden – dann ginge es an einer anderen Stelle los, am Herzen, an der Lunge, an den Nieren. Wir könnten die Patienten an künstliche Herzen, Lungen, Nieren legen. Und wieder würden sich schwache Stellen im Körper ergeben – wir würden sie durch frische Organe ersetzen. Schließlich wäre nur noch das Gehirn übrig, und sobald sich Defekte daran zeigten, könnten wir seinen gesamten Inhalt auf elektrische Speicher übertragen. Nach einem Menschenalter gäbe es nicht nur sechzig Milliarden Menschen auf der Erde, sondern auch sechzig Milliarden Gehirnspeicher, sechzig Milliarden Maschinen, die sich beliebig frei bewegen könnten, die empfinden könnten, was sie wollten. Farben über Fernsehröhren, Geräusche über Mikrophone, Gerüche über chemische Analysatoren, ja sogar Freude, Begeisterung, Liebe, Enttäuschung, Trauer und Haß. Hätten wir damit etwas Gutes getan?

Mortimer: Ich weiß es nicht.

Van Steen: Der OMNIVAC antwortet nein.

Mortimer: Und warum betreibt ihr dann noch Wissenschaft?

Van Steen: Ich sehe keinen Grund, warum wir aufhören sollten. Gewiß – bei immer weniger von dem, was wir ausfindig machen, handelt es sich um verwertbares Wissen. Aber es ist keineswegs sicher, daß wir nicht wieder einmal in Bereiche vordringen, von denen sich etwas, vielleicht sogar viel, nützlich verwerten läßt.

Mortimer: Was könnte das sein?

Van Steen: Es gibt eine Unmenge Fragen, auf die wir keine Antwort wissen; du hast einige davon gestellt. Ein Beispiel ist die Bestimmung des Menschen. Wohin sollen wir ihn führen? Sollen wir ihn erhalten, wie er ist, oder sollen wir ihn zu vervollkommnen suchen? Es gibt viele Mittel dazu – Eugenik, Genprogrammierung, Gehirnchirurgie, Empfindungsvertiefung durch Drogen. Vorderhand haben wir uns auf ein einfaches Prinzip gestützt: das der Leidminimisierung. Aber vielleicht ist es gar nicht das Schicksal des Menschen, sorgenfrei zu leben. Vielleicht soll es sich durch seine Sorgen zu etwas Höherem steuern lassen.

Mortimer: Was verstehen Sie darunter? Haben Sie ein Beispiel?

Van Steen: Aber ja – nehmen wir nur unser neues Kommunikationssystem. Es ist schon lange möglich, Organismen einzufrieren, ihren Stoffwechsel so zu verlangsamen, daß sie lange Zeiten ohne zu altern überdauern. Es ist auch schon lange bekannt, daß man dabei die Gehirntätigkeit aufrecht erhalten kann. Man braucht nur dafür zu sorgen, daß die Ionenwiderstände in den Synapsen nicht zu hoch werden – die Energie auch des herabgesetzten Stoffwechsels reicht stets noch aus, um die geringfügigen elektrischen Anregungen der Nervenfasern hervorzurufen. Die Menschen konnten während ihres Schlafs bei Bewußtsein bleiben, beispielsweise im normalen Tempo denken. Zugleich waren sie aber ausgeschaltet von jedem Informationseinfluß, sie konnten keine Frage stellen, oder, richtiger, sie erhielten keine Antwort. Sie waren isoliert, und nach einer gewissen Zeit funktionierte ihre Denkkontrolle nicht mehr. Ihre Gedanken verwirrten sich, sie gerieten in eine Welt der Phantasie, des Surrealismus, aus der sie nur noch schwer, manchmal überhaupt nicht mehr herausfanden. Es hatte also keinen Sinn, ja es war sogar schädlich, sie wachzuhalten.

Nun hatten wir aber schon Erfolg mit extrasensorischen Übertragungen gehabt. Darunter ist ein Informationsaustausch zu verstehen, der sich ohne den Umweg über die Stimmbänder oder andere Organe, die demselben Zweck dienen können, ohne den Umweg über Auge, Ohr und so fort, abspielt. Dazu war es allerdings nötig, die entsprechenden Nervenleitungen durch das Schädeldach hindurch mit Drähten zu punktieren, und das ist eine höchst schwierige und für die Versuchsperson unangenehme Manipulation.

Andererseits bot sich ein weitaus günstigeres Prinzip an. Denkvorgänge sind elektrischer Natur, und als solche erzeugen sie elektrische Wechselfelder. Mit Gehirnströmen hat man sich schon lange beschäftigt, aber das, was man empfing, waren Impulse von lediglich sekundärem Charakter – nämlich jene der Energieanlieferung für das eigentliche Denken. Wir versuchten sie abzufiltern, und als uns das gelang, war es leicht, sie über Modulatoren weiterzuleiten und über eine Antenne in ein anderes Gehirn zu leiten. Das Schwerste war das Fokussierungsproblem – die Notwendigkeit, von außen genau jene Stelle anzupeilen, die als Sender oder Empfänger fungieren sollte. Aber wir haben es gelöst.

Mortimer: Der Gehirnfokus.

Van Steen: Ja! Wie du siehst, gibt es also auch aus den letzten Jahrzehnten Erfindungen, die praktisch verwertet wurden.

Mortimer: Mißbraucht!

Van Steen: Nennst du es mißbraucht, wenn wir asoziale Verschwörer behandeln? Es kann das Leben anderer retten, wenn wir rechtzeitig von ihren Absichten erfahren. Oder meinst du die Entpersönlichung? Wir entfernen die durch irgendeinen Umstand ungünstig kombinierten Informationen und ersetzen sie durch neue aus einem Speicher, einem Modellgehirn. Eine neue, sozial eingestellte Person entsteht. Was ist daran schlecht? Früher hat man Entartete umgebracht.

Mortimer: Vielleicht haben Sie recht. Aber wo ist die Entwicklung zu etwas Höherem?

Van Steen: Darauf komme ich eben: Empfindest du es nicht auch als einen wesentlichen Schritt vorwärts, wenn sich vielerlei Menschen zu einem übergeordneten Denken verbinden können? Vielleicht bahnt sich hier etwas an, das uns in eine höhere bisher unbekannte Stufe biologischer Organisation überführt. Ich sage: vielleicht – hier befinde ich mich außerhalb des Territoriums der Wissenschaft. Vielleicht werden wir diese Fragen einst exakt beantworten können. Heute ist das noch nicht möglich, und wir müssen noch warten, ehe wir handeln.

Mortimer: Das also ist der Grund für die wissenschaftliche Forschung.

Van Steen: Nicht allein – allenfalls einer von vielen. Der eigentliche Grund ist der, daß wir dazu verpflichtet zu sein glauben. Es kann sein, daß unsere Arbeit kein großes Ergebnis zeitigt, daß sie irgendwann einmal im Sande verläuft. So weit sind wir aber noch lange nicht. Vorderhand sind die weißen Flecken auf der Landkarte unseres Wissens noch groß. Jeder Schritt ins Unbekannte bringt uns unglaubliche Einblicke. Immer aufregender ist das Neue, das daraus erwachsen kann.

Mortimer: Der Gehirnfokus. Ein Werkzeug geistiger Vergewaltigung.

Van Steen: Wir wollen uns nicht absichtlich mißverstehen! Ich sprach jetzt nicht von verwertbarem Wissen, sondern um wesentliche Erweiterungen unseres Horizonts, Erweiterungen, die es uns erlauben, den Dingen um uns herum verständnisvoller zu begegnen.

Mortimer: Meinen Sie die Menschen, deren geheimste Gedanken Sie nun belauschen können?

Van Steen: Das ist gar nicht möglich – wie wir jetzt wissen, kann man sich durchaus verschließen, man braucht nur ein wenig Erfahrung dazu. Aber nehmen wir die Tiere! Was wußten wir bis vor kurzem über ihre Denkweise, über ihre Gefühle, Empfindungen, ihr Bewußtsein? Heute ist es möglich, alles das kennenzulernen. Wir haben sie nicht nur belauscht – wir haben auch menschliche Informationen auf unbenützte Speicherzellen im Tiergehirn gelegt und von dort aus Experimente vornehmen können.

Mortimer: Menschen in Tieren, so wie Baraval in mir.

Van Steen: So ähnlich. Wir haben auch tierische Informationen auf menschliche Gehirne geleitet – Tiere in Menschen, wie du sagen würdest. Doch ich darf dir verraten, daß wir dadurch viel gelernt haben – auch vieles, was ethisch verwertbar ist. Wir wissen jetzt, wie ein Tier leidet, und wodurch es leidet. Wir kennen die Intensität seiner Gefühle – sie ist stärker als wir je vermutet haben. Wer an solchen Experimenten teilgenommen hat, wird ein Tier nie grausam behandeln. Aber er wird es auch nie so behandeln wie Schoßhündchen, denn das ist nicht minder grausam – es bringt das Gleichgewicht des Triebsystems in Unordnung. Auch hier führt die Sprache des Herzens nicht zum angestrebten Ergebnis.

Mortimer: Was mich noch interessiert, ist Ihr Status als Wissenschaftler im Staat. Sie genießen doch offensichtlich eine Sonderstellung. Wie verträgt sich diese mit der Gleichverteilung von Freud und Leid?

Van Steen: Sie verträgt sich! Sicher, wir beschäftigen uns auf andere Art als die übrige Bevölkerung, deren Lebensinhalt sich auf

Boxkämpfe, Fernsehstars, Spiel und Unterhaltung beschränkt. Aber unsere Aufgabe liegt durchaus im Allgemeininteresse. Wir sind die Verwalter eines jahrtausendealten Wissens.

Mortimer: Aber sie bilden doch eine geschlossene Gruppe im Staat, eine Gruppe exklusiven Charakters, mit Sonderrechten und Privilegien. Wer wird Wissenschaftler?

Van Steen: Hier liegt in der Tat ein gewisses Problem. Früher wurden einfach Menschen mit besonders hohen Intelligenzquotienten ausgesucht und für eine Wissenschaft ausgebildet. Heute können wir jeden zum Genie machen . . .

Mortimer: Warum tun sie es nicht?

Van Steen: Eine Welt von Genies wäre zum Untergang verurteilt. Genius verträgt ein Gemeinwesen nur in äußerst verdünnter Dosis. Aber immerhin – bei einigen steigern wir die Intelligenz. Mit Lernprogrammen, Suggestion und ähnlichem führen wir sie an den Zenit ihrer geistigen Leistungsfähigkeit. Genau genommen könnten wir jeden dazu ausersehen.

Mortimer: Sie bestimmen, wer am Glück teilhaben darf.

Van Steen: Sind wir wirklich glücklicher als die anderen? Der OMNIVAC hat das Problem durchgerechnet; wir sind es nicht.

Mortimer: Das war alles, was ich wissen wollte. Ich danke Ihnen.

17

Ein Jahr war vergangen. Noch immer lagen sie im Beschuß der Lasergeschütze, aber jetzt konnte ihnen die Strahlung nichts mehr anhaben. Sie bewegten sich mit einer Geschwindigkeit, die vor ihnen von Menschen noch nie erreicht worden war, nur ein paar Millionstel trennten sie vom vollen Wert der Lichtgeschwindigkeit. Die harte Gammastrahlung erschien ihnen als harmloses Licht. Die angestrahlten Partikel reflektierten es und funkelten wie Schneeflocken. Die Strahlenstöße bewegten sich kaum schneller als sie – sie schienen neben ihnen herzuwandern, mächtige Lichtzylinder, stark vergrößert, oft weit von ihnen entfernt, manchmal auch nahe daneben, ja sogar um sie herum. Jetzt waren keine Ausweichmanöver mehr nötig, sie fuhren unbeirrt geradeaus.

Der Mediziner, Dr. Sic, hielt eine genaue Untersuchung aller an Bord befindlicher Menschen für angebracht. Sie drosselten die Beschleunigung auf ein g, und der Arzt, der selbst automatisch in den Normalzustand zurückgebracht worden war, machte Injektionen vor und überwachte die kritische Phase der Rückkehr ins Leben.

Sie benützten dieses persönliche Zusammentreffen zur Entscheidung über ihre nächsten Schritte. Guido traf mit van Steen in der Kanzel zusammen. Anwesend waren wieder der Chefingenieur Olson von der Seite der Aufrührer und Derreck aus der Gruppe der Wissenschaftler. Mortimer war einfach mitgekommen, ohne dazu eingeladen zu sein. Über die Leuchtschirme konnten sie ihre Umgebung überblicken. Sie sah seltsam aus. Das gesamte Blickfeld war in Kugelzonen aufgelöst, die sich um das Raumschiff schlossen – vergleichbar mit um ein Faß geschmiedeten Reifen. Die Symmetrieachse aller dieser Kugelzonen lag in Fahrtrichtung. Jede hatte eine andere Farbe, alle Tönungen des Regenbogens waren vertreten. Bei genauerem Hinsehen lösten sich die Ringe in dahingestreute Punkte auf – die Sterne. Selbst durch die Bildschirme war es ein Anblick unbeschreiblicher Majestät.

»Das ist er, der Sternenbogen«, sagte van Steen. »Wir sind die ersten Menschen, die ihn sehen.« Als er Guidos Kopfschütteln bemerkte, fügte er hinzu: »Eine Folge des Doppler-Effekts und der Zeitdilatation. Im Prinzip daselbe wie die Umwandlung der Gammastrahlen in Licht.«

Der Ingenieur starrte die Schirme an und schüttelte den Kopf.

»Stimmt etwas nicht?« fragte Guido.

Der Ingenieur ging von einem Schirm zum anderen, drehte dann ein Rad am Schaltpult, änderte den Kontrast und die Helligkeit.

Van Steen trat neben ihn.

»Was fällt Ihnen auf? Die Farben? In Wirklichkeit hat sich das sichtbare Licht natürlich auf eine enge Zone um den Zielstern herum zusammengezogen. Der übrige Raum wäre völlig dunkel. Aber wir arbeiten mit einem Bildwandler. Was wir sehen, ist die ins Sichtbare transformierte Radiostrahlung.«

»Das alles ist mir klar«, meinte der Ingenieur. »Aber fällt Ihnen sonst nichts auf?« Er wartete ein paar Sekunden lang und fuhr dann fort: »Wir sehen viel zuviel. Trotz des Bildwandlers dürften wir nur die Strahlung jener Sterne empfangen, die in einem spitzen Winkel gegen die Fahrtrichtung liegen. Sie brauchen es nur kurz nachzurechnen!«

Van Steen kniff die Augen zusammen, stand kurze Zeit unbewegt da.

»Donnerwetter«, sagte er dann. »Sie haben recht. Das ist unerklärlich. Ich möchte meinen Physiker und Astronavigator hinzuziehen. Haben Sie was dagegen?« Als Olson den Kopf schüttelte, trat er an die Sprechanlage. »Dr. Dranat, bitte in die Steuerkanzel.« Er wiederholte den Aufruf noch zweimal, dann kam der dunkelhäutige, seine indischen Vorfahren nicht verleugnende Physiker herein. Van Steen machte ihn auf die Unstimmigkeit aufmerksam, und Dr. Dranat ließ sich am Schaltpult nieder und wandte sich den Navigationsgeräten zu.

Guido löste seinen Blick vom Sternenbogen. »Meine Herren, wir haben Wichtigeres zu tun, als uns mit physikalischen Kuriositäten zu beschäftigen. Vor allem haben wir die Frage zu lösen, ob wir jetzt umdrehen sollen, um zur Erde zurückzugelangen.«

»Der Gammabeschuß stört uns nicht mehr«, erklärte Olson. »Die Frequenzen sind harmlos geworden, und überdies setzt die Streuung die Intensität auf ungefährliche Größenordnungen hinab.«

»Aber wenn wir die Fahrt verzögern – wird die Strahlung dann nicht wieder stärker?«

»Theoretisch ja. Aber ob sie überhaupt noch auf uns schießen?«

»Wir sehen es ja!« stellte Guido fest und deutete auf einen

Lichtzylinder, der, wie es schien, leicht gekrümmt neben dem Schiff hing.

»Das hat nichts zu sagen«, bemerkte der Professor. »Sie kommen aus der Vergangenheit. Auf der Erde müssen schon Jahrhunderte vergangen sein. Inzwischen sind wir ihnen längst unwichtig geworden.«

»Sind Sie sicher?« fragte Guido.

Van Steen zuckte die Schulter: »Wo gibt es Sicherheit?«

»Vielleicht können wir eine Nachrichtensendung abhören?« schlug Mortimer vor.

»Auch die ist längst überholt«, entgegnete van Steen.

»Vielleicht läßt sich etwas über ihre Pläne entnehmen – darüber, wie lange sie den Beschuß fortsetzen wollen. Können wir noch Radioprogramme von der Erde empfangen?«

»Ich nehme nicht an, daß sich die Radiowellen hier schon in Einzelquanten aufgelöst haben«, antwortete der Ingenieur. »Dann können wir sie auch empfangen. Aber es wäre etwas mühsam. Um eine Minute Sendezeit zu kriegen, müßten wir eine halbe Million Minuten lang empfangen. Die Sprache käme in einem Super-Infraschallbereich an. Wir müßten die Schwingungen speichern und entsprechend verschnellert abrufen.«

»Das sind traurige Aussichten«, meinte Guido. »Aber du kannst es immerhin versuchen. Und jetzt zu unserem Entschluß: Kehren wir um?«

»Wir können es ohne weiteres riskieren«, antwortete van Steen.

»Obwohl es keineswegs sicher ist, ob die Erde überhaupt noch existiert«, warf Derreck ein.

»Selbst wenn sie existiert, wird sie sich völlig verändert haben«, vermutete Mortimer.

Van Steen widersprach: »Das muß nicht unbedingt sein. Unser soziales System war hochstabil. Es spricht nichts dagegen, daß es Jahrhunderte, ja selbst Jahrtausende überdauert.«

»Und trotzdem wäre es keine Heimkehr«, sagte Guido. »Wir treffen keinen Menschen mehr, den wir gekannt haben.«

»Es ist die Heimkehr zur Erde«, sagte van Steen. »Und das bedeutet nicht wenig. Wir können uns wieder eingliedern in den Prozeß des Forschens und der technischen Weiterentwicklung. Und wir kommen nicht mit leeren Händen. Mir und meinen Kollegen sind einige Beobachtungen gelungen, die alles andere als wertlos sind. Dazu kommen noch die automatischen Aufzeichnungen.«

»Für Sie ist es etwas anderes als für uns«, meinte Mortimer. »Wir haben keine Aufgabe mehr auf der Erde. Wer weiß, ob es noch eine Liberale Partei gibt!«

Guido sah ihm voll ins Gesicht.

»Wir werden eine neue gründen«, flüsterte er

»Wozu die Debatte?« fragte van Steen. »Denkt an unsere Vereinbarung! Wir haben euer Wort.«

»Wir könnten eine neue Partei gründen«, wiederholte Guido, diesmal laut und triumphierend, an alle gewandt. »Gut – ich bin dafür. Wir kehren sofort um. Zurück geht's – zur Erde!« Und als es ausgesprochen war, fühlten sich alle wie von einer Last befreit, sie atmeten auf, lachten, sprachen durcheinander. Nur der Physiker hantierte unbewegt mit seinen Geräten, bis er sich, durch den Lärm irritiert, umwandte und bat: »Wartet noch! Es könnte etwas dazwischenkommen!« Betroffen umringten sie ihn und blickten mit ihm auf die Zeiger, deren Sprache sie nicht so gut beherrschten wie er. Im Moment war er derjenige, von dem alles abhing.

»Was meinst du damit – dazwischenkommen?« fragte van Steen.

Dr. Dranat rückte seinen Stuhl zur Seite, und gab den Blick auf eine Himmelskarte frei. Genauer ausgedrückt war es die Projektion von Sternpositionen auf eine Mattscheibe, die im Speicher des zentralen Computers festgehalten waren und so umgerechnet wurden, daß sie der Veränderung des Standorts Rechnung trugen.

»Hier ist die errechnete Sternkarte. Und dort auf den Bildschirmen seht ihr die wahren Positionen. Fällt euch nichts auf?«

»Sie stimmen nicht überein«, sagte Mortimer.

»Die nahe der Zielrichtung liegenden Sternsysteme haben sich verschoben.« Van Steen trat zum Schnellrechner und ließ sich einige Werte geben. »Und zwar um sechzig ... fünfundsechzig Grad ... sogar noch etwas darüber.«

»Was schließen Sie daraus?« fragte Guido, der das beunruhigte Mienenspiel des Wissenschaftlers mißtrauisch beobachtete.

»Ich kann noch nichts sagen«, murmelte der Physiker, »... höchstens ... dann müßten aber ... mal sehen ...«

Er brachte zwei Skalen zur Deckung, stellte eine automatische Uhr ein. Dann rief er aufgeregt: »Welche Beschleunigung haben wir?«

»Ein g«, anwortete der Ingenieur prompt.

»Zwölf g!« rief Dr. Dranat. Er sprang auf. »Zwölf g, und es werden laufend mehr.«

»Aber warum spüren wir nichts?« rief Mortimer bleich, von der Aufregung der anderen angesteckt.

»Wir fallen – was soll es anderes sein?« rief Mortimer.

Derreck hatte in einer Tabelle nachgesehen. »Unter uns muß eine ungeheure Massenansammlung sein!«

Van Steen blickte angestrengt auf den Bildschirm und drehte fahrig die Einstellknöpfe – das schwarze Loch in Zielrichtung wurde immer größer, ohne daß man darin etwas erkennen konnte.

»Wir laufen gegen härteste Gammastrahlung an«, schrie der Ingenieur. »Der Bildwandler schafft es nicht mehr!«

Mortimer packte van Steen am Mantelaufschlag.

»Was können wir tun?«

»Gegenbeschleunigen«, schrie van Steen. »Mit aller Kraft – das ist die einzige Rettung!«

Guido trat ans Mikrophon des Durchsagenetzes.

»Alarm! Alle Mann in die Kojen. In zwei Minuten beschleunigen wir! Ich wiederhole ...«

Fünf Minuten später lagen sie in den andrucksicheren Höhlen ihrer Betten, gefühllos, geschützt, doch durch das Kommunikationssystem eng zusammengeschlossen in der Furcht vor dem Ungewissen, das nach ihnen griff. Die Rakete hatte sich gedreht, das Heck wies gegen die Fahrtrichtung. Van Steen gab durch einen mentalen Impuls die Hemmung frei, und die Antriebskraft wuchs auf den voreingestellten Wert. Ein Ächzen ging durch das Schiff, Wellen des Staudrucks liefen vom Heck zum Bug, die elfenbeinerne Haut des Schiffes wölbte sich, Gegenstände bohrten sich in den Boden oder brachen wie Bauwerke aus Zündhölzern zusammen. Zeiger wanderten gegen die roten Bereiche, Warnimpulse zuckten, und nur diese waren es, die die wachen Gehirne der Schlafenden aufnahmen – Wellenzüge nach Mustern moduliert, die höchste Belastung bedeuteten.

Ein Schreckensruf tönte durch das Schiff: »Es genügt nicht – wir fallen. Beschleunigung achtundvierzig g!«

»Die ersten Sicherungen ausschalten! Den Energiefluß erhöhen!«

Eine unheilvolle Pause, dann ein Schreckensruf: »Zu wenig! Wir fallen! Achtzig g!«

»Zweite Sicherung ausschalten! Energiefluß erhöhen bis an die letzte Sicherheitsgrenze!«

Nach einer Weile schwemmte eine Flut der Enttäuschung die letzte Hoffnung beiseite: »Wir stürzen. Unser Schub hat keine Wirkung mehr! Jeden Moment können wir aufprallen – hundertvierzig g!«

»Weitere Beschleunigungen lebensgefährlich!«

»Wir müssen es versuchen!«

»Energiefluß auf Maximalwert! Zerstrahlungskoeffizient hundert!«

Der Ionenstrom brandete gegen die Führungsfelder, durchbrach die Mauern aus elektrischen und magnetischen Kräften. Das Heck der Rakete strahlte in tiefem Purpur. Die Hitze kroch durch das Metallskelett. Die Wandungen vibrierten wie Trommelfelle, die Glasgefäße in den Labors splitterten in dumpfem Dröhnen. Doch all diese Gewalten waren nichts gegen die Kraft, die als die schwächste in der Familie der Elementarkräfte gilt, die Gravitation. Die gegen die Fallrichtung geschleuderten Ladungen verpufften wirkungslos. Die Schwerkraft ergriff sie und zog sie an sich. Sie fielen genauso wie das Schiff – unaufhaltsam, schwer wie ein Stein.

Das Entsetzen griff nach den Menschen, die von ihren Winkeln aus das Spiel der Gewalten verfolgten. Ein hysterischer Schrei gellte in die Gehirne der Hilflosen. »Hilfe, wir werden körperlos, wir werden zu Strahlung!«

Plötzlich fielen die Zeiger auf Null. Das Tosen verstummte. Es wurde unerträglich still. Und dann begann ein leises Flattern, wurde stärker, das Schiff schwankte wie eine Schaukel ... noch kehrte es immer wieder in die Ausgangslage zurück ... der Ausschlag wurde rasch stärker ... es drehte sich ... dann überschlug es sich, einmal, zweimal, immer rascher ... es wirbelte dahin wie ein Blatt im Wind. Die Lichtstriche der Lageanzeige tanzten, die Quecksilbersäule des Andruckmessers hüpfte, die Beschleunigungsanzeige pendelte zwischen Plus und Minus und spielte immer mehr in die roten Bereiche hinein.

Und dann fielen einzelne Beobachtungsinstrumente aus – das achtgeteilte Gesichtsfeld verblaßte, die Geräusche verstummten, zuletzt blieben nur mehr einige sekundäre elektrische Anzeigesysteme intakt, bis mit einem Schlag alles zu Ende war: Das Kommunikationsnetz war ausgefallen. Sie fanden sich von einander abgeschnitten, waren allein wie nie zuvor. Unversehens waren sie in die tödliche Leere absoluter Einsamkeit geschleudert worden; nicht der geringste Schimmer kam von außen, nicht mehr der leiseste Laut, keine Stimme, kein Hauch, der verraten hätte, daß es überhaupt noch etwas gab: außerhalb. Sie wußten nicht, was mit ihnen geschah, ob sie in der nächsten Sekunde zerschmettert würden oder ob ihnen wenigstens vorher noch Zeit blieb, ihr Schicksal zu verfluchen. Die Ungewißheit war das Schlimmste, und sie steigerte sich bis zum Wahnsinn, weil sie ewig zu dauern schien.

*

Die gefiederte Spirale fächerte aus, wandelte sich in einen burgunderrot und schwarzblau geränderten Stern, dessen seitliche Zacken sich zu einem Netz schlossen. Das Netz wehte, wellte sich, blähte sich auf, schloß sich zu einer geäderten Kugel. Die Klänge verschlangen sich, vereinigten sich zu einem Sinuston, sprühten wieder auseinander, eine achtstimmige Folge pulsierte zwischen Ruhepunkten. Auf dem Hintergrund des weißen Rauschens tanzten Tonakzente, verdichteten sich zum spitzen Geknister von Funken ...

Mortimer ließ sich in dieses Spiel versinken wie in ein lauwarmes Bad. Es beschwor Empfindungen in ihm, aufregende und süße, traurige und freudige. Irgendwo in seinem Innern kamen Saiten zum Klingen, und ihm war, als schlösse sich eine Brücke zwischen zwei zusammengehörenden Dingen, aber er wußte nicht, was für Dinge das waren, und er hatte auch nicht den Wunsch, es zu wissen. Links neben ihm saß Maida, rechts Lucine, und ohne daß er ihnen die Augen zuwandte, fand er ihre Anwesenheit als die letzte Vervollkommnung seines Daseins.

Dann vernahm er den Ruf.

Nur er allein vernahm ihn, nur ihm allein galt er. Eine kalte Hand griff nach seinem Herzen. Die Farben und Formen auf der Bühne verschwammen vor seinen Augen, die Klänge plätscherten nur mehr dahin ... Mortimer vermochte sich nicht länger zu konzentrieren. Doch eben, als er aufstehen wollte, erhob sich Maida, und auch Lucine war nicht im geringsten überrascht. Sie konnten nichts ahnen von dem Ruf, denn er war lautlos, doch sie spürten Mortimers Unaufmerksamkeit, ja Verwirrung, und unterbrachen das Spiel von selbst – die Raumbeleuchtung flutete auf, die Bühne war nur noch ein schwarzes Halbrund, die Luft wieder vom Rauschen der Klimaanlage erfüllt.

»Es ist spät«, sagte Mortimer. »Sehr spät.«

»Draußen dürfte es schon dunkel sein«, meinte Maida.

»Auf der Terrasse wird getanzt«, bemerkte Lucine.

Langsam gingen sie zum Lift, ließen sich hinuntertragen. Der Vorraum war nur matt erleuchtet. Lucine setzte sich auf die große Hollywood-Schaukel, von der aus man einen Blick über die Gärten zur zackig abgerissenen Fläche der Talwände hatte. Diese Fläche war schwarz, und über ihrem Rand saß ein Flimmern unter einem grüngrauen Himmel. Von der Terrasse her erklang die uralte Melodie eines Blues. Über die Mattglaswände glitten die schwerelosen Schatten zweier tanzender Paare.

Es ist spät, dachte Mortimer. Aber er ließ sich Zeit. Mit Maida ging er zur Schaukel, und sie setzten sich. Mortimer beschwichtigte sich selbst: nur noch ein paar Sekunden!

»Nur ein paar Sekunden«, sagte er laut. Einige Augenblicke, einige Atemzüge lang. Das war wenig – und doch viel.

»Was haben Sie vor?« fragte Lucine.

Mortimers Blick hing am schwarzen Block der Felsen.

Was ist dahinter? fragte er sich. Laut sagte er: »Nie ist die Luft so erfrischend wie am Abend. Den ganzen Tag freue ich mich auf einige Atemzüge dieser Luft. Solange ich hier bin, gehe ich um diese Zeit stets noch einmal hinaus. Es ist unbeschreiblich still draußen. Unbeschreiblich schön.«

»Es ist finster draußen«, sagte Lucine. »Haben Sie keine Angst vor der Finsternis?«

»Vor der Finsternis? Nein.«

Maida berührte seinen Arm. »Ich komme mit Ihnen.«

Jäh sprang Mortimer von der Schaukel herab. Unvermittelt sah er wieder das dunkle Tor vor sich.

»Nein«, sagte er erschreckt. Er drehte sich zu ihr, sah sie lange an. »Sie können nicht mitkommen. Bleiben Sie hier, solange Sie können! Leben Sie wohl!«

Er tat einige Schritte zurück gegen das Tor. Dann drehte er sich rasch um und eilte die Stufen hinab.

18

Ihr Erwachen wirkte wie ein Wunder. Sie fühlten ein Prickeln in den Muskeln, ein Dröhnen in den Ohren wie bei einem übersteuerten Mikrophon. Ihre Augenlider zuckten, weil ein rotes Leuchten aufglomm, dann sahen sie etwas, was zuerst wirr und chaotisch war, und erst allmählich Erinnerungen beschwor, deutbar wurde.

Das erste, was Mortimer erkannte, waren die scharfen Züge des Arztes, seine Augen – die Augen eines Menschen! fiel ihm plötzlich ein. Dann ordneten sich seine Eindrücke schnell, und fast augenblicklich erwachte das Bewußtsein. Die wirren Bilder, die bis vor kurzem sein Dasein beherrscht hatten, verblaßten, und die Vergangenheit war wieder lebendig. Das Letzte – ja, das Letzte, dessen er sich entsann, war die Verzweiflung. Das Schiff schlingerte haltlos, trieb dahin ins Ungewisse ... Die ungeheure Beschleunigung ... die verzweifelten Versuche ... die Verzerrungen am Himmel! Ja, jetzt setzte sich das Geschehen wieder logisch fort. Was dazwischen lag – ein sinnloser Alptraum!

Einige Stunden später versammelten sie sich wieder in der Steuerkanzel. Sie – das waren Guido, sein Chefingenieur Olson, van Steen und Derreck, sowie Mortimer, der stillschweigend akzeptiert wurde. Und dann traf auch noch der Physiker, Dr. Dranat, ein. Er war der einzige, von dem sie Auskunft über ihre Situation erwarten durften. Aller Blicke hingen auffordernd an ihm.

»Ich sollte erklären, wieso wir noch leben«, sagte er. »Nun, das erscheint mir genauso unerklärlich wie euch. Aber ich will versuchen, eine Erklärung für das zu geben, was geschehen ist. Zunächst steht fest, daß das dritte Sicherungssystem gewirkt hat – wie bekannt ist, läßt es sich über das mentale Netz nicht ausschalten. Das war unsere Rettung. Es hat verhindert, daß wir uns selbst in die Luft geheizt hätten. Es hat den Antrieb ausgeschaltet, die Mesonenreaktion gestoppt. Von diesem Moment an gab es keine Hoffnung mehr, daß sich unser Fall bremsen ließ.«

»Und was geschah? Sind wir irgendwo zerschellt? Sind wir tot?«

Der Physiker lächelte.

»Wir alle haben voreilige Schlüsse gezogen. Von einem Zerschellen war keine Rede. Allenfalls hätte uns ein ungeheuer schwerer Himmelskörper einfangen können, vielleicht ein solcher aus Nukleonenmaterie, aber selbst dann wäre es höchst unwahrscheinlich gewesen, daß wir geradewegs auf ihn zugefahren wären. Viel wahrscheinlicher wäre ein Einfang gewesen – bis zum Ende aller Zeiten wären wir als Satellit um den Massenriesen herumgewandert.«

»Aber was ist nun wirklich vorgefallen?« Derrecks Tonfall klang so zaghaft, daß ihm Dr. Dranat die Hand aufmunternd auf die Schulter legte. »Jedenfalls leben wir noch! Soviel ich bis jetzt sehen kann, war kein einzelner Himmelskörper schuld an unserer höllischen Liftfahrt, sondern eine Abweichung von der gleichmäßigen Massenverteilung im Raum. Um die Region, die wir glücklicherweise hinter uns gelassen haben, herum, und damit meine ich einen sehr großen, Millionen Sternnebel umfassenden Bereich, verteilten sich die Sterne dichter als in anderen Gegenden. Auf diese Weise kommt es zu einer Unregelmäßigkeit im Raum-Zeit-Kontinuum. Vereinfacht könnte man sagen, der Raum war dort stärker gekrümmt, hat sich zusammengezogen. Es handelt sich um eine Art Verengung oder Stromschnelle, Gravitationslinse, oder wie wir es sonst nennen wollen.«

Guido fiel ihm etwas ungeduldig ins Wort: »Ist das nicht gleichgültig?«

»Nicht so ganz«, entgegnete der Physiker. »Zumindest ist es der Grund dafür, daß wir nicht zu Schaden gekommen sind. Wir sind gewissermaßen nun hindurchgefallen, auf der einen Seite hinein, auf der anderen heraus.«

»Wieso sind wir nicht auf dem tiefsten Punkt liegen geblieben?« fragte Mortimer.

»Wir sind hindurchgelaufen wie eine Kugel durch den tiefsten

Punkt einer Schüssel. Auch sie bleibt nicht unten liegen, sondern läuft wieder ein Stück bergauf. Unsere Bewegungsenergie konnte nicht verlorengehen. Wir wurden beschleunigt und wieder verzögert. Die Reibungsverluste wurden durch unsere Eigengeschwindigkeit mehr als aufgewogen.«

Wieder stellte Guido eine Frage: »Wo befinden wir uns jetzt?«

Dr. Dranat hob die Schultern. »Nur eins kann ich mit Bestimmtheit angeben: jenseits der Singularität im Raum. Ihre Existenz ist eine unerhörte Entdeckung. Denken Sie nur: Das Weltall ist keine Kugel, sondern eine Art Doppelkegel! Einstein würde sich im Grabe umdrehen. Der Krümmungsradius, der der Masse proportional ist . . .«

Guido klopfte ungeduldig auf die Tischplatte. »Verzeihen Sie, aber die wissenschaftliche Sensation läßt uns kalt! Sagen Sie uns lieber, wie wir zur Erde zurückkommen sollen!«

Der Physiker blickte ihn groß an. »Ich glaubte, mich klar genug ausgedrückt zu haben. Wir befinden uns in einem fremden Teil des Weltalls. Infolge der Schlingerbewegung des Schiffes haben wir die Richtung verloren. Infolge der statistischen Eigenbewegung der umliegenden Sternsysteme gibt es keinen Anhaltspunkt für unsere Bewegungsrichtung. Die Registratur ist ausgefallen – unser Weg ist nicht markiert. Schauen Sie auf den Bildschirm! Kennen Sie auch nur ein einziges Sternsystem?«

Der Bildschirm war wieder auf Farbwiedergabe geschaltet, der Bildwandler transformierte alle Arten von Strahlung in sichtbares Licht. Fast schien es, als kostete Dr. Dranat die ratlosen Blicke aus, denn er wartete eine ganze Weile, ehe er weitersprach. »Natürlich kennen Sie keines, denn es ist kein bekanntes darunter. Sie sind uns alle fremd. Soviel ich sehen kann, sind zwar die Sternklassen ebenso verteilt wie in unserem alten Raum, aber es fehlt uns eben jede Orientierung.«

»Das heißt . . .« Guido wagte die erschreckende Folgerung nicht auszusprechen. Dr. Dranat scheute nicht davor zurück: »Das heißt, daß wir nicht zur Erde zurückkehren können. Heute nicht, und morgen nicht. Niemals wieder.«

Diesmal waren alle zusammengekommen, die Revolutionäre, und die Wissenschaftler.

Guido ergriff das Wort.

»Männer und Frauen! Wir sind in eine Situation geraten, die niemand voraussehen konnte und die so phantastisch ist, daß man sie nicht glauben möchte, wenn man sich nicht mit eigenen Augen davon überzeugen könnte. Es ist ja nicht geheim geblieben: Wir sind in einen Teil des Weltraumes geraten, aus dem es kein Zurück mehr gibt. Über diesen Punkt will ich nicht weiter sprechen, aber natürlich könnt ihr darüber alles erfahren, was ihr wissen wollt. Dr. Dranat steht euch anschließend zur Verfügung.

Wir sind noch am Leben, weil das Sicherheitssystem funktioniert hat, weil die Antigravnetze intakt geblieben sind, und weil Dr. Sic soweit Herr seiner Sinne geblieben ist, um nach angemessener Zeit den Versuch zu wagen, einen mentalen Befehl zum Wecken zu geben. Er hat dann die Wiederbelebung aller anderen überwacht.

Wie wir festgestellt haben, sind die meisten der empfindlichen elektronischen Systeme ausgefallen; sie dürften sich aber wieder in Ordnung bringen lassen. Das Antriebssystem ist noch einigermaßen intakt. Wir haben eine Woche Zeit, um eine Generalüberholung vorzunehmen. Soweit wir bisher gesehen haben, wird das Schiff wieder fahrtüchtig werden.«

Ein Mann aus den Reihen der Zuhörer rief:

»Und wohin soll die Fahrt gehen?«

»Das wollen wir jetzt beraten«, antwortete Guido. »Dazu habe ich alle Menschen, die sich an Bord befinden, zusammengerufen. Durch das Ereignis, das uns hierher verschlagen hat, wurden alle Interessenunterschiede verwischt. Freilich – das Ideal der Freiheit werden wir immer hochhalten, aber wir brauchen nicht mehr dafür zu kämpfen; im Rahmen unserer kleinen Gemeinschaft wird jeder stets soviel Freiheit haben, wie nur immer möglich ist. Und auch die Forscher sind die gleichen geblieben; sie bringen eine Unmenge Wissen mit und werden wohl nie müde werden, es zu pflegen und zu vermehren. Ihre Aufgabe im Auftrag der Erdregierung allerdings ist genauso sinnlos geworden wie unser Freiheitskampf. Aber jetzt gilt es vor allem, mit den Schwierigkeiten fertigzuwerden, die sich uns allen in gleicher Weise entgegenstellen. Auch die Wissenschaftler werden ihre Fähigkeiten in den Dienst der gemeinsamen Sache stellen. Ich schlage daher vor, daß wir alle Meinungsverschiedenheiten begraben und künftighin gemeinsam arbeiten.«

Dieser Vorschlag wurde ohne große Bewegung aufgenommen – es gab jetzt wichtigere Dinge zu entscheiden.

»Die Führung wird künftighin gemeinsam bei je einem Vertreter beider Seiten liegen. Ich bin dafür, daß wir sie in einer öffentlichen Wahl bestimmen.«

Die Abstimmung erfolgte durch Akklamation. Guido und van Steen wurden als Führungsteam bestellt. Zunächst für zwei Jahre sollte das Geschick der Menschen in ihrer Hand liegen.

»Und nun wird van Steen über die Frage sprechen, was weiterhin geschehen soll«, kündigte Guido an.

»Vorausgesetzt, wir bringen das Schiff in Ordnung«, führte van Steen aus, »stehen uns alle Möglichkeiten offen – ja, genaugenommen waren noch nie Menschen so ohne jede Bindung wie wir. Wenn es eine absolute Freiheit gibt, dann sind wir es, die sie jetzt genießen! Da wir niemand anderem verpflichtet sind, könnten wir uns durch das All treiben lassen und bis ans Ende unserer Tage faulenzen. Wir könnten auch von Stern zu Stern reisen, Dinge sehen, die noch niemand gesehen hat, unerhörte Abenteuer erleben, immer wieder neue Eindrücke gewinnen – auf einer Entdeckungsfahrt ohne Ziel und ohne Ende.« Er blickte über die Reihen seiner Zuhörer hinweg. An den Mienen der wenigsten fand er so etwas wie Zustimmung. »Es gibt noch ähnliche Möglichkeiten völliger Ungebundenheit«, setzte er fort. »Sollte jemand einer besonderen den Vorzug geben, so wollen wir später darüber diskutieren. Nach dem aber, was ich über den Menschen als biologisches Wesen weiß, glaube ich gar nicht, daß er von einem Leben in solcher absoluten Freiheit auf die Dauer wirklich befriedigt ist. Darum schlage ich etwas anderes vor, obwohl es unbequemer ist, unbestimmt im Ergebnis und alles andere als kurzweilig. Obwohl es jene Möglichkeit wäre, die den größten Freiheitsentzug bringt: Wir könnten versuchen, einen Planeten zu finden, dessen Klima ungefähr der Erde entspricht. Wir haben genügend junge und gesunde Männer und Frauen unter uns, die Anlagen, die sie mitbringen, sind bestimmt nicht die schlechtesten. Wir könnten versuchen, uns auf einem erdähnlichen Planeten anzusiedeln, ein Gemeinwesen zu schaffen, eine neue Menschheit begründen . . .«

Seine Worte gingen in einem Beifallssturm unter – Wissenschaftler und Revolutionäre stimmten in gleicher Begeisterung zu. Van Steen schwenkte beruhigend den Arm. »Ich hoffe, ihr gebt euch keiner Täuschung hin – es wird bestimmt nicht leicht sein. Gewiß, wir haben unser Wissen und für den Anfang die Energiequelle des Schiffes, aber wir müssen doch ganz von vorne anfangen.«

Wieder klang Zustimmung auf:

»Das macht nichts.«

»Wir nehmen es gern auf uns!«

Als sich die Unruhe etwas gelegt hatte, stellte Guido eine entscheidende Frage: »Was für Chancen haben wir, einen Planeten zu finden, der für Menschen erträgliche Bedingungen bietet?«

Van Steen lachte – es sah aus, als verjünge sich sein Gesicht. »Die beste. Soviel wir festgestellt haben, unterscheidet sich dieser Sektor des Raumes nicht von unserem eigenen. Es gibt unzählige Planeten, und ein nennenswerter Teil davon hat die richtige Masse, die richtige Entfernung von der Sonne, eine günstige Luftzusammensetzung, eine ausreichende Menge Wasser. Dr. Dranat hat sich schon nach einer günstigen Gelegenheit umgesehen. Er wird darüber berichten. Bitte, Dr. Dranat.«

Der zartgebaute Gelehrte erschien ihnen jetzt wie ein Gott, der im Begriff ist, den Weg zum Paradies zu weisen. »Die Situation erschien zuerst nicht ganz so günstig, wie man van Steens Worten entnehmen könnte, denn jene Region, die wir nach der nötigen allmählichen Verzögerung erreichen könnten, ist außerordentlich leer. Sie enthält keine Sternnebel, sondern nur ganz wenige, zumeist dunkle Sonnen. Nun habe ich ein wenig abseits von unserer Flugrichtung, aber durchaus erreichbar ein isoliertes Sonnensystem entdeckt, das zwei Planeten enthält. Der eine entspricht völlig unserer Erde . . .«

Er konnte nicht weitersprechen – der ausbrechende Jubel schnitt alle weiteren Erläuterungen ab. Es gab auch nichts weiter zu sagen. Sie alle, ob ehemalige Freiheitskämpfer oder Wissenschaftler, waren sich einig: Sie wollten am schnellsten Weg zu ihrem Planeten, ihrer neugeschenkten Erde.

19

Nach der Renovierung des Schiffs hatten sie sich wieder in ihre Andruckbetten begeben, aber diesmal war die Stimmung, unter der das geschah, ganz anders. Es war, als hätten sie insgeheim Bedenken gegen eine Rückkehr zur Erde gehabt, einer um Jahrtausende gealterten, vielleicht einer bis zum Überlaufen übervölkerten Erde, vielleicht auch einer radioaktiven Wüste, zerstört durch die Bomben, von der sich die mißtrauischen Machthaber nicht zu trennen gewagt hatten, bis sie eines Tages daran zugrunde gegangen sein mochten. Jedenfalls bestand sicher nichts mehr, was dem Sehnsuchtsbild des grünen Erdballs entsprach – und damit auch nichts, nach dem sie Heimweh gehabt hätten.

Der jungfräuliche Himmelskörper dagegen, an den sich das Zielkreuz im Visier immer näher heranschob! Er schien all dem zu entsprechen, dem dunkle Wünsche tief im Inneren der Gefühlsregion im Gehirn immer noch verhaftet waren. Jetzt brachen sie wieder hervor, schwemmten die Tünche der Jahrhunderte hinweg, hefteten sich an das kaum wahrnehmbare Pünktchen auf dem Bildschirm, das allmählich wuchs – zu einem Licht der Hoffnung. Immer mehr von den komplizierten astronomischen Geräten tasteten nach diesem Stern, entrissen ihn dem

Dunkel, offenbarten seine beiden Begleiter – der eine grünlich schimmernd wie von Algen überzogen, mit silbernen Spiegelflächen darin, der andere eintönig graublau, von einer grünen Strahlenkrone umgeben.

Auch Mortimer hatte die Niedergeschlagenheit überwunden, der er seit dem mißglückten Aufstand verfallen war. Die allgemeine Zuversicht steckte an wie ein Fieber. Um so erstaunter war er, als er mit Derreck in Kontakt trat. Bei ihm bemerkte er keine Anzeichen freudiger Erwartung, eher die von Niedergeschlagenheit.

Was fürchtest du? fragte ihn Mortimer. *Zweifelst du daran, daß wir mit den Unbilden der Natur fertigwerden? Oder denkst du an Auseinandersetzungen mit den urtümlichen Lebewesen – Dr. Dranat hat bisher keine Anzeichen höherer Entwicklungsstufen festgestellt.*

Derreck weigerte sich zunächst zu antworten, aber Mortimer merkte, daß der Freund den Wunsch hatte, seine Bedenken mit jemand zu besprechen, und darum bohrte er immer weiter, und brachte Derreck schließlich doch zu einer Antwort.

Meine Bedenken sind ganz anderer Natur, als du erwarten dürftest. Ich bin der Meinung, daß wir uns mit dem, was wir versuchen, selbst täuschen. Es ist genauso sinnlos, wie es eine endlose Vergnügungsfahrt durch den Weltraum wäre.

Gewiß ist ein Risiko dabei. Sicher gibt es Gefahren, von denen wir nichts ahnen können. Aber erscheint dir das Risiko zu groß?

Das ist es nicht. Risiken gibt es überall. Was mich stört, ist die absolute Unmöglichkeit, das zu erreichen, was alle erhoffen.

Zum Überleben besteht eine gute Chance. Was wir aber unbewußt mit dem Begriff des Überlebens verbinden, ist das Weitertragen der menschlichen Kultur. Alle denken, man brauche sich nur irgendwo niederzulassen und dafür zu sorgen, daß man sein Leben und das seiner Nachkommen erhält.

Und das genügt nicht?

Nein. Es genügt nicht, um zivilisiert zu bleiben. Um den Standard zu halten, den man erreicht hat.

Was wäre deiner Meinung nötig?

Ein paar Dutzend Menschen sind zu wenig dazu. Sie können das einfach nicht fassen, was wir ihnen zu vererben haben. Der Hauptteil würde schon mit der ersten Generation untergehen. Nach einigen weiteren wären sie keine Menschen mehr. Allenfalls Wilde. Alles, was wir jetzt noch sind, wäre verloren.

Du denkst an die Informationen? Sie sind gespeichert. Sobald sich die Menschen genügend vermehrt haben, wird es wieder welche geben, die sich damit beschäftigen.

Vielleicht nach Jahrtausenden. Dann aber etwa in der Weise, wie wir uns heute mit Keilschrifttafeln beschäftigen. Als historische Dokumente.

Ich sehe das absolut nicht ein. Warum sollen wir verwildern? Es ist eben gar nicht richtig, daß wir ganz von vorne anfangen müssen. Wir haben das Wissen, das uns hilft, stets genügend Energie bereitzuhalten. Uns ist bekannt, wie man dem Boden Nährpflanzen entzieht, wie man aus Mineralien Luft und Wasser gewinnt, Zellkulturen in Eiweiß verwandelt. Wir wissen, wie man Maschinen baut, um Wege und Häuser zu schaffen, wir kennen alle Arten von Waffen, um uns notfalls verteidigen zu können. Wissen, Energie, Nahrung, Maschinen – woran sollte es also liegen?

Was uns fehlt, und was wir nicht im Handumdrehen beschaffen können, sind einige Millionen Menschen.

Die Massen, die sich auf der Erde drängen? Aber was spielen sie denn schon für eine Rolle? Sie vegetieren dahin, haben keine Ideen und keine Ideale, schaffen nichts Wertvolles, nichts Bleibendes. Alles, was sie interessiert, sind die Leckerbissen aus den Automatenküchen, die stupiden Massenveranstaltungen, das Aufputschen der Sinne bei den Sportkämpfen, die Gesellschaftsreisen, ihre Kleider und Einrichtungen, ihre primitiven Filme und Theaterstücke. Es sind immer nur wenige, die die Menschheit weiterbringen und nie die seelenlosen Massen. Ihr Wissenschaftler wart mir nie besonders sympathisch, und auch bei den Freiheitskämpfern ist kaum einer, an den ich mich gebunden

*gefühlt hätte, wenn ich nicht an das große Ziel, die Befreiung
der Menschheit, geglaubt hätte. Eines aber muß man beiden lassen – sie bringen das mit, was zu echtem Fortschritt führt. Und
darum bin ich überzeugt davon, daß wir gute Aussichten haben.*

*Es wäre schön, wenn du recht hättest. Aber deine Überlegung
stimmt nicht. Weder die Gruppe der Aktiven, der Tatmenschen,
noch die Elite der Intelligenz hätte eine soziale Funktion, wenn
nicht auf jeden von ihnen Tausende kämen, an denen sich das
realisiert, was sie erstreben. Von ihnen ist der kulturelle Stand
genauso abhängig wie von der Führerschicht. Unsere Zivilisation
beruht auf einem großen Reservoir von Menschen. Es ist ein
kybernetisches Problem: Sie bilden die vielen kleinen und scheinbar unwichtigen Schaltelemente, ohne die ein komplexer Apparat nicht bestehen kann, und wenn er noch so wertvolle Einzel-
teile enthält.*

*Kann man ein System von Menschen wirklich mit einer Schal-
tung vergleichen, ohne irgendwo an eine Stelle zu kommen, an
der das zu Fehlschlüssen führt? Hier dürfen wir eine solche
Stelle erreicht haben. Ich glaube, daß wir auf jene Erscheinungs,
formen unserer Kultur, die auf der Existenz der Masse beruhen,
gut verzichten können. Was wirklich wertvoll ist, sind die indi-
viduellen Fähigkeiten, und diese können sich doch auch in einer
kleinen Gruppe erhalten, wie wir eine sind.*

Ich möchte hoffen, daß du recht hast.

Wieder war ein halbes Jahr verstrichen, als sich der Chefingenieur mit einer unerwarteten Nachricht an die anderen wandte
– er hatte elektromagnetische Wellen aufgefangen, frequenz-
modulierte Folgen großer Variabilität, die nur als Mittel irgend-
einer Art von Nachrichtenübermittlung zu erklären waren, also
als Produkte intelligenter Wesen. Da um die angesteuerte Sonne
nur zwei Planeten kreisten, von denen einer weitab von der
Zone lebenserhaltender Wärme seine Bahn zog, mußten sich auf
der erdverwandten grünen Kugel, dem Ziel aller ihrer Hoffnung, aller Beobachtungen zum Trotz doch intelligente Wesen

befinden. Bisher hatte sich nicht das geringste Anzeichen dafür ergeben, und auch jetzt, als sich mehrere Ingenieure und Wissenschaftler an eine neuerliche peinlich genaue Untersuchung machten, wozu die Beschleunigung der Rakete für zwei Tage auf ein g herabgesetzt wurde, ergab sich nichts dergleichen. Der Empfang der unerklärlichen Signale hatte inzwischen aufgehört, ohne daß es gelungen wäre, den Sender anzupeilen.

Nachdem sie schon so weit gekommen waren, sahen sie keinen Grund, nach einem anderen Planetensystem Ausschau zu halten, aber es waren etwas gemischte Gefühle, die sie beseelten, während sie die letzten Wochen ihrer Reise hinter sich brachten.

Sechs Tage vor der Landung hatten sie sich wecken lassen. Noch gab es wenig zu tun, aber die meiste Zeit hielten sie sich an den Bildschirmen auf, die alle den grüngrauen Ball ihres Zieles zeigten. Immer mehr Einzelheiten waren zu erkennen – die silbernen Flächen wurden zu Meeren, gelbe Streifen waren wohl als Wüsten anzusprechen, das Grün der gemäßigten Zonen stammte zweifellos von Pflanzen – es war eine dem Chlorophyll verwandte Substanz, wie der erste Biophysiker, Dr. Belgast, dem Spektrum entnommen hatte –, und das streifende Licht der Sonne enthüllte die Wälle von Bergketten, Faltengebirgen, nicht anders gegliedert als jene der Erde. Stundenlang diskutierten sie über Einzelheiten, die laufend bekanntgegeben wurden – die genaue Luftzusammensetzung, die Temperaturen, die Achsenneigung und ihre Auswirkungen auf die Jahreszeiten, die Rotationsdauer, die Gravitation und vieles andere. Das alles hätte gar nicht besser passen können – die Daten Dr. Dranats, die er aus der Ferne aufgrund weniger und ungenauer Messungen rechnerisch ermittelt hatte, erwiesen sich als richtig, die Abweichungen von den Verhältnissen auf der Erde waren so geringfügig, daß sie keine Rolle spielten. Gelegentlich sahen sie weiße Nebel, die sie als Vogelschwärme deuteten – sonst entdeckten sie nichts von tierischen Lebewesen und erst recht nichts von Menschen oder anderen intelligenten Geschöpfen.

Und dann kam der große Tag des Landemanövers. Sie hatten eine Ebene in der gemäßigten Zone, die von einem mächtigen Fluß durchquert wurde, zum Landeplatz erwählt. Sie gingen so langsam hernieder, daß sie keine Abschirmung vor dem Andruck benötigten. So erlebten sie es unmittelbar, und trotz aller Raffinessen des Kommunikationsnetzes war der Eindruck doch stärker – sie spürten die Vibration, und ihre Körper vibrierten mit, sie hörten das Pfauchen der abwärts gerichteten Heckdüsen und dann die Veränderung des Geräusches, als die Feuergarben den Boden trafen, die Pflanzen niedermähten und die Erde schmolzen, und als schließlich der sanfte Ruck des Aufsetzens durch das Schiff ging.

Einige letzte Messungen an rasch eingeholten Luftproben, ein letzter Blick auf die Bildschirme – dann öffnete sich die Schleuse, und sie kletterten über die ausgeschwenkte Treppe hinab, sprangen in nachgiebigen Sand, wühlten in flockigem Gras, bewarfen sich mit einer Art von Kletten, die an hohen Dolden wuchsen, atmeten tief, ließen sich von der Sonne bescheinen, und plötzlich begann einer zu singen, ein altes Lied aus einem historischen Film, und alle erinnerten sich an die längst vergessen geglaubte Melodie, einer nach dem anderen fielen sie ein, bis mächtiger Gesang über das fremde und doch vom ersten Augenblick vertraute Land scholl. Während des Singens wanderten ihre Blicke ringsum, wie trunken vom Atem des unbegrenzten Raums, vom Wiesenland, dem mächtigen grauen Fluß, den mattgrünen Waldrändern, die sich im dünnen Dunst verloren. Und dann umringten sie Guido und van Steen, und fragten nach ihren Aufgaben. Sie konnten es nicht mehr erwarten, Hand anzulegen, dieses Land in Besitz zu nehmen, es sich zu eigen zu machen.

Acht Wochen lang befanden sie sich nun schon auf diesem Planeten. Er erwies sich geradezu als ideal – sie hätten es wirklich nicht besser treffen können. Das Land war fruchtbar, es gab eine Unmenge Pflanzen – verhältnismäßig primitive Pflanzen, wie die Biologen behaupteten. Aber das konnte nur gut für sie sein – so bestand wenig Wahrscheinlichkeit, daß sich das Tierleben weit entwickelt haben könnte, und in der Tat trafen sie nur wenige Tiere; die meisten waren gefiederte Pflanzenfresser, Menschen seltsam anmutende schnabellose Vögel, von denen nur wenige fliegen konnten. Die größte Tierart, die sie getroffen hatten, bestand aus scheuen, in Herden auftretenden Geschöpfen, die von grauen Flaumfedern bedeckt waren und auf drei Känguruhbeinen dahinhüpften; vielleicht würde man sie als Haustiere ziehen können. Von intelligenten Bewohnern dieser Welt hatte sich noch immer nichts gezeigt.

Die anfängliche Begeisterung machte einer fieberhaften Arbeitswut Platz. Zunächst schliefen sie noch im Schiff, aber sie hatten den Ehrgeiz, möglichst schnell zu eigenen Häusern zu kommen, die sie aus Felsbrocken und Schilfrohr bauen wollten; doch diese Pläne mußten sie zunächst zurückstellen. Viel wichtiger war es, für Nahrung zu sorgen. Während sie keinen Mangel an Wasser und Luft litten, waren die Proviantvorräte des Schiffes bald aufgebraucht. Glücklicherweise hatten sich mehrere der natürlich wachsenden Pflanzen nach einer geringfügigen chemischen Behandlung als genießbar erwiesen, so daß sie keinen ausgesprochenen Hunger litten. Dagegen wollten sie natürlich den Speisezettel gern aufbessern; eine Gruppe unter der Leitung des Biologen war damit beschäftigt, Algen- und Zellkulturen anzulegen. Auch die Nährpflanzen der Hydroponikgärten schienen im fremden Boden gut zu gedeihen, jedoch war es bei ihnen ein weiter Weg bis zur Ernte.

Täglich trafen sie sich am Abend vor dem Schiff, oder, wenn es regnete, auch dann und wann in ihrem alten Versammlungsraum, dem Deck A. Dann unterhielten sie sich über die Erfolge ihrer Arbeiten oder über ihre Sorgen und besprachen die Pläne für den nächsten Tag. Eines Abends wartete Dr. Dranat mit einer kleinen Sensation auf.

»Ich habe wieder Signale empfangen«, berichtete er. »Und diesmal konnte ich ihre Quelle herausfinden: Sie liegt dort drüben«, er deutete nach einem hellen Stern, der über dem östlichen Horizont hing, »auf unserem blauen Abendstern.«

»Ist dort Leben möglich?« fragte Guido. »Dieser Planet ist doch viel zu kalt!«

»Was wissen wir von den möglichen Formen des Lebens?« fragte der Physiker zurück. »Auf diesem Planeten herrscht eine Durchschnittstemperatur von minus sechzig Grad. Es ist eine Welt ohne Festland – völlig umgeben von einem Meer flüssigen Ammoniaks. Aber was hat das schon zu sagen!«

»Kann uns von dort Gefahr drohen?« fragte van Steen.

»Unwahrscheinlich«, antwortete der Physiker. »Sicher kommt den Ammoniakwesen dieser Planet genauso lebensfremd vor wie uns der ihre. Und außerdem gibt es keinen Hinweis dafür, daß sie die Raumschiffahrt kennen.«

Derreck, dessen schmales Gesicht blasser als sonst erschien, mischte sich ins Gespräch.

»Sie senden elektromagnetische Signale aus – das heißt, sie haben eine Technik. Dann kommen sie auch früher oder später zur Raumfahrt.«

»Und was kümmert uns ihr Entwicklungsstand?«

»Sie sind unsere nächsten Nachbarn im Raum«, erklärte Derreck mit unterdrückter Erregung in der Stimme, »es ist keineswegs gleichgültig, wie sie handeln, wie sie denken, wie sie leben. Wenn wir uns auf diesem Planeten niederlassen, müssen wir auch die Konflikte erwägen, in die unsere Nachkommen geraten könnten. Wenn es zu einer Auseinandersetzung kommt, wären sie die Unterlegenen!«

»Das sehe ich nicht ein – auch wir haben Waffen!« meinte Guido.

»Ehrlich gesagt – ich bezweifle, ob unsere Nachkommen noch damit umgehen können. Aber ohne jeden Zweifel werden sie rein zahlenmäßig im Nachteil sein. Das müssen wir bedenken, allenfalls etwas dagegen tun! Heute können wir es noch, in einigen Jahren dürfte es zu spät sein.«

»Und was sollten wir unternehmen?«

Derreck war jetzt etwas ruhiger, aber gerade deshalb wirkte er überzeugend: »Nachsehen! Das ist das mindeste. Wir müssen so rasch als möglich hinfliegen und diese Wesen studieren. Alles weitere hängt vom Ergebnis ab.«

»Was haltet ihr davon?« fragte Guido.

Die versammelten Menschen hatten der Debatte gespannt gelauscht. Ihre Antwort war nicht gerade begeistert, aber sie sahen die Notwendigkeit ein. »Es kann nicht schaden, wenn sich einige von uns darum kümmern«, faßte einer das Ergebnis der leisen Diskussionen zusammen. »Wir sollten nicht zu lange warten.«

Damit war der Beschluß gefaßt – so bald als möglich sollte eine kleine Gruppe dem Nachbarplaneten ihren Besuch abstatten.

Es dauerte noch drei Monate, bis sie so weit waren, um für einige Tage auf das Schiff verzichten zu können. Der Hausbau bereitete unangenehme Überraschungen. Einige lose zusammengesetzte Hütten waren beim ersten Sturm zusammengefallen, und um ein einziges festes Haus zu bauen, hätten sie alle ein paar Wochen lang zusammenhelfen müssen. Das ging aber nicht, denn es gab andere, dringende Arbeiten – vor allem die Pflege der Pflanzenkulturen. Leider nützten ihnen die Robotfahrzeuge nicht viel, weil sie auf geglätteten Boden angewiesen waren. Der einzige computergesteuerte Traktor aber hatte eine andere wichtige Aufgabe – er baute ein Bewässerungssystem, das für die Pflanzung unentbehrlich war. Schließlich begnügten sie sich damit, ein Dach an eine Felswand zu bauen, um vor dem Regen geschützt zu sein, und diesen primitiven Unterstand des Nachts mit Infrarotstrahlern, die aus einer Batterie gespeist wurden, zu heizen.

Derreck hatte die Leitung der Expedition übernommen. Er hatte eine kleine Mannschaft zusammengestellt – Olson, den Chefingenieur, zur Leitung des Schiffs, Belgast, den Biophysiker, und Mortimer als Soziologen; dank der Ausbildung Stanton Baravals konnte er diese Funktion ausfüllen. Mehr Leute waren nicht zu entbehren.

Um überhaupt starten zu können, mußten sie die Umgebung der Rakete räumen, aber sonst gab es keine Schwierigkeiten. Bald schwebten sie hoch über der Ebene, über dem Kontinent, über der Planetenkugel. Um auf höhere Beschleunigungen gehen zu können, begaben sie sich in den Schutz ihrer Andruckbetten, und wieder befanden sie sich im körperlosen Raum der Gedanken und Bilder, der direkt übermittelten Eindrücke und Gefühle. Mortimer war erschrocken, als er einen Schimmer von Derrecks Geisteszustand ausnahm – die pure Niedergeschlagenheit, Verzweiflung.

Was bedrückt dich nur, fragte Mortimer. *Willst du dich mir nicht anvertrauen?*

Es gibt nichts anzuvertrauen, antwortete Derreck. *Alles entwickelt sich so, wie ich es vorausgesehen habe. Ich möchte nicht darüber sprechen!*

Nach zwei Tagen befanden sie sich auf einer Spiralbahn über dem blauen Planeten. In seinem kalten Glanz sah er wie ein ungeheurer Tropfen aus. Erst als sie tiefer kamen, bot sich ihnen der Eindruck eines endlosen Meeres, nirgends gab es eine Insel, nirgends eine Unterbrechung der glatten Oberfläche, kein Schiff, kein herausragender Mast, keine Verfärbung des flüssigen Ammoniaks. Die Außentemperatur lag bei minus dreiundsechzig Grad Celsius.

Sie flogen ganz langsam, das Heck fast senkrecht nach unten gerichtet. Derreck versuchte unter Aufbietung sämtlicher optischer Tricks einen Einblick unter die Flüssigkeitsoberfläche zu ermöglichen. Schließlich gelang es ihm einigermaßen durch Ausblendung auf dem kurzwelligen Bereich der Strahlung und mit Hilfe von Polarisationsfiltern. Sie sahen eine leicht gewellte submarine Landschaft, einige Male bemerkten sie hellere Streifen, die so geradlinig erschienen, daß ihnen keine natürliche Ursache zuzusprechen war, aber sie glitten schnell vorbei, verschwanden unter der flimmernden spiegelnden Fläche, so daß es verfrüht gewesen wäre, darauf einen Schluß zu bauen.

Dann rief der Ingenieur: »Was ist das dort drüben? Seht ihr diese dreieckigen Gebilde?« Jetzt war es unverkennbar – das waren künstliche Erzeugnisse, technische Dinge, Bauwerke, vielleicht Häuser. Sie versuchten, einen kleineren Ausschnitt einzustellen, aber das Auflösungsvermögen reichte nicht aus – das Bild wurde körnig und zerlief.

Derreck wandte sich an Olson: »Wir müssen eines dieser Wesen erwischen. Wie tief können wir gehen? Schadet es, wenn wir in die Ammoniakschmelze eintauchen?«

»Nicht unbedingt. Den Druck hält der neue Kunststoffpanzer ohne weiteres aus. Nur wären wir ziemlich wehrlos. Die meisten Anzeigegeräte würden ausfallen.«

»Darauf lassen wir's ankommen«, bestimmte Derreck. »Anders kommen wir nicht an sie heran. Am besten, wir gehen da drüben nieder, etwas abseits von diesen Gebilden.«

Der Ingenieur war einverstanden, wenn auch offensichtlich nicht gern. »Ich will's versuchen.«

Sie glitten einige Kilometer über die fragliche Stelle hinaus. Dann senkte Olson das Schiff, bis sie sich in gleicher Höhe mit der Oberfläche befanden. Innerhalb eines Moments waren sie von Dampfschwaden eingehüllt. Es zischte und gurgelte um sie herum, das Schiff schwankte, wenn die Wellen anbrandeten.

»Gehen Sie tief, so rasch Sie können«, befahl Derreck. »Ich möchte nicht mehr auffallen, als unbedingt nötig ist.«

Der Ingenieur drosselte den Energiefluß, die Geräusche wurden leiser, erstarben. Das Schiff, dessen spezifisches Gewicht ein wenig schwerer war als jenes der Ammoniakschmelze, sank langsam zu Boden.

Wie vorhergesehen, arbeiteten manche der Anzeigeinstrumente nicht mehr, aber das wichtigste Organ, das optische System, blieb in Funktion. Zuerst sahen sie nur eine glasige Masse um sich herum, und vage, schemenhafte Formen in der Ferne, dann erschien eine Sandfläche, über der sich Büschel von palmenartigen Pflanzen wiegten. Mit einem weichen Knirschen setzten sie auf, wobei glücklicherweise nicht so viel Sand aufwirbelte, um die Sicht zu unterbinden.

Zuerst erblickten sie nur die sanftgeschwungene Berg- und Tallandschaft, dann entdeckten sie da und dort Dinge, die nicht von Natur aus auf dem Meeresgrund wachsen, auch nicht, wenn das Meer aus einer Wasserstoff-Stickstoff-Verbindung besteht. Es waren einfache Gegenstände, eine gebogene Stange, an der Netze oder Stricke hingen, eine Reihe von Masten mit tellerartigen Aufsätzen, eine Art Walze mit einem langen gegabelten Stiel. Etwas Lebendiges war nicht auszunehmen, aber dann hörten sie ein leises Kratzen unmittelbar neben sich. Es war kein gleichmäßiges Geräusch, wie es etwa ein von den Wellen herangetriebener Gegenstand verursachen könnte, aber auch nichts völlig Unregelmäßiges – eher hörte es sich an, als wenn jemand versuchte, durch Klopfen die Konsistenz der Außenhaut zu ergründen.

»Das ist etwas Lebendiges!« flüsterte Derreck. »Es befindet sich im toten Winkel unserer Visiere. Aber wartet . . . es bewegt sich die Wand entlang!«

»Da ist es!« rief Mortimer plötzlich.

»Leise!« warnte Derreck. »Es könnte uns hören!«

Über einem der Bildschirme bewegte sich jetzt ein höchst eigentümliches Wesen. Zuerst sah es wie eine Art Skelett aus, doch als es dicht an die Linse herankam, war zu erkennen, daß sich zwischen den Knochen oder was es sonst war, durchsichtige Organe befanden. Es war spiegelsymmetrisch, ein rund auslaufender Kopf wurde sichtbar, an dem eine breite Mundöffnung, so etwas wie Kiemen und ein kugeliges, sich eilig hin- und herdrehendes Auge zu unterscheiden war. Auch Gliedmaßen waren zu sehen, zwei Reihen dünner, an den Enden gegabelter Ärmchen. Nun hob sich eines – und sie sahen das, was einer Hand entsprach, ganz nahe, zwischen den beiden leicht gekrümmten Fingern spannte sich eine durchsichtige Schwimmhaut, und nun ertönte das Kratzen wieder.

»Sieht aus, als ob es einen Einschlupf sucht«, meinte der Biophysiker.

»Wir müssen es fangen, lebendig natürlich«, meinte Derreck.

»Aber wie?« fragte der Ingenieur.

»Es scheint neugierig zu sein«, sagte Dr. Belgast.

»Wenn wir die Luftschleuse öffnen, könnte es durchaus sein, daß es von selbst hereinkommt.«

»Öffnen Sie die Schleuse«, bat Derreck den Ingenieur, »und schalten Sie dort das Licht ein!«

Auf dieses leichte Geräusch hin, das nun ertönte, zuckte das Wesen plötzlich zusammen, legte die Gliedmaßen an den Körper und fuhr mit einer eleganten Wendung wie ein Pfeil davon. Es dauerte aber keine dreißig Sekunden, da kam es wieder, langsam, geradezu witternd, und die Menschen im Schiff beobachteten, wie es einen Bogen schlug, gegen die Schleusentür hin.

»Jedenfalls hat es ein gutes Gehör!« flüsterte Derreck. »Und eine ausgezeichnete Orientierungsfähigkeit.«

Das Wesen war jetzt vom Bildschirm verschwunden.

»Wahrscheinlich sehen wir es nie wieder«, fürchtete Mortimer.

Da hörten sie den Ingenieur plötzlich rufen: »Ich hab' es! Es ist gefangen! Kommt, seht es euch an!«

Sie liefen die Treppe hinunter auf Deck C, und da erblickten sie es auch: Durch die Verglasung der inneren Schleusentür war es deutlich zu erkennen: etwa sechzig Zentimeter groß, pigmentlos, durchsichtig, sogar das Pulsieren einer Flüssigkeit durch Adern war zu beobachten. Jetzt schien es Angst zu haben, denn es drückte sich reglos an die Außenwand. Das dauerte aber nur kurze Zeit, gleich darauf bewegte es sich wieder, seine Fingerchen arbeiteten am Hebel der äußeren Schleusentür; aber dieser war natürlich von innen gesichert.

Unvermittelt klangen von außen Geräusche, und jetzt polterte etwas dumpf gegen die Wand. Sie liefen zurück in die Kanzel – auf den Bildschirmen wimmelte es jetzt von durchsichtigen Wesen, und von Ferne sahen sie eine Art Fahrzeug heranrollen.

»Es wird Zeit, daß wir uns davonmachen!« rief Derreck. Er gab dem Ingenieur ein Zeichen, und dieser schaltete den Energiefluß ein und stellte die Schubstrahlung auf die niedrigste Stufe. Wieder wirbelte Sand, diesmal ärger als zuvor; sie sahen zwar nichts, aber sie spürten, daß sie sich allmählich hoben. Dann klärte sich ihre flüssige Umgebung, wieder wogten unbestimmbare Formen, und dann klatschte es – sie hatten die Oberfläche durchstoßen. Die Rakete erhob sich frei, einen schäumenden Hexenkessel hinterlassend und befand sich Sekunden später wieder hoch oben über dem gleißenden Flüssigkeitsball.

»Ich glaube, wir können zurückkehren«, meinte Derreck. »Wir haben, was wir brauchen, Dr. Belgast kann jetzt mit seiner Untersuchung beginnen.«

Sie begleiteten den Wissenschaftler zur Schleuse.

»Pumpt bitte den Ammoniak hinaus!« bat dieser.

»Wird es ihm nicht schaden?« fragte Mortimer.

»Ich kann es nicht ändern. Unter einer Ammoniakschmelze kann ich den Fokus nicht ohne weiteres ansetzen, ich muß es in der Luft untersuchen.«

»Und wenn es stirbt?«

»Wenn es ein Gehirn hat, das nur einigermaßen dem des Menschen entspricht, dann hole ich die gespeicherten Informationen auch noch nach dem Tode heraus.«

Der Ingenieur hatte einen Hebel an der Schalttafel neben der Schleuse betätigt, und sie blickten in das Schäumen im Schleusenraum, beobachteten das Wesen, das hilflos umherruderte, wenn es in Luft geriet.

»Es ist nur im Ammoniak lebensfähig. Das war zu erwarten«, sagte Dr. Belgast leise.

Die letzte Flüssigkeitslache verdampfte in der erwärmten Luft, die hineingespült wurde. Sie ließen die Schleusenkammer noch einige Minuten weiter durchlüften, um die beißenden Ammoniakdämpfe zu vertreiben. Das Wesen zuckte noch einige Male, dann lag es still, zu einer formlosen Masse erschlafft.

Sie öffneten die Tür, und der Biologe legte den Körper vorsichtig in eine bereitgestellte Glaswanne. Durch den Lastenaufzug beförderten sie sie in die Etage, in der das biophysikalische Labor lag. Ohne Zögern holte der Wissenschaftler eine auf einem Stativ befestigte Parabolantenne heran und schwenkte sie gegen den Kopf des Wesens. Er deutete auf die schwammige Masse, die unter der transparenten Haut leicht schaukelte.

»Hier, das muß das Gehirn sein.«

Mit geübten Griffen verstellte er einige Knöpfe am Schaltpult, richtete die Abstimmung ein. Ein leiser Summton ertönte.

»Rasch«, forderte er. »Jemand muß es abhören. Hierher, unter diese Antenne.«

Derreck schob Mortimer vor. Dieser setzte sich auf einen Stuhl, über dem eine metallene Haube schwebte, erinnerte sich einen Moment lang an die Stunden im Labor von Dr. Prokoff, horchte einige Atemzüge lang auf ein leises aufdämmerndes Rauschen, schloß die Augen, um sich zu konzentrieren . . .

Jäh überfielen ihn fremde Empfindungen, zuerst solche der Angst, der Klage . . . aber das wiedererweckte Bewußtsein verweilte nirgends, es wanderte stetig, eine Fülle von Bildern hinter sich herziehend . . .

Sand, Farnbüschel, Spiel am Weinberg . . .

das seltsame, weißgelbe Schiff . . .

das runde gewölbte Auge, eine Glaslinse . . .

die erleuchtete Kammer, die Tür . . .

Weiter:

Häuser, dreieckig, Hängematten . . .

zwei große weiße Wesen, mehrere kleine – Brüder, Schwestern . . .

Teezeremonie, Malzsaft, Walnüsse . . .

Weiter:

Spazierfahrt, Grottenbahn, Musik . . .

die Schule, die Tafel, eine lange Schriftrolle . . .

die Hängematte, das Blubbern aufsteigender Schwefelwasser-
stoffperlen . . .

Weiter:

das Förderband, die Ultraschallantenne, der Hohlrohrresona-
tor . . .

das Bergwerk, Platinerz, die Hände mit den Spitzhacken . . .

der Postbote, Mutter, die die Schriftrolle öffnet . . .

Weiter:

rhythmische Kastagnetten, Cimbeln, Polizisten auf Sitzschlit-
ten . . .

das Kind mit den Leuchtblumen, der technische und der So-
zialpräsident . . .

der Reigen an den warmen Quellen . . .

Weiter:

Wettrennen am Palmengarten, Vater beim Golf . . .

Kinder vor der Puppenbühne, Malzsaft . . .

gelbe, grüne, braune Kampffische, zehn Reihen weißer Wesen . . .

Der Reigen der Bilder schien sich endlos weiter zu drehen,
immerfort, ohne Ende. Unterbewußt hatte Mortimer das Gefühl, bis zum Rande angefüllt zu werden, bis zum Überlaufen . . .

Dann verblaßten die Eindrücke, erstarben . . .

»Hast du etwas entnehmen können?«

Mortimer schüttelte einen Reifen ab, der sich um seine Stirn
gelegt hatte . . .

»Hast du etwas gesehen? So nimm dich doch zusammen!«

Es ging ihn an! Wieder schüttelte er sich, öffnete die Augen.
Vor ihm, in der Glaswanne, lag eine welke, feuchte Gestalt . . .

Plötzlich wurde ihm übel, und er stolperte zur Wandnische.

Der Biologe wischte ihm mit dem Handtuch die Stirn, führte
ihn zu einem Liegebett. Mortimer fühlte den Einstich einer Nadel. Daraufhin wurde ihm eisigkalt, der Frost wanderte durch
seine Adern, aus dem gefühllosen Arm in den Körper hinein.
Mit einemmal wurde sein Denken glasklar.

»Wir haben das Wesen getötet«, sagte er. »Es war ein gemeiner Mord. Mord an einem Kind. Oh, wie gemein wir Menschen doch sind.«

Sie hatten Mortimers Bericht analysiert. Obwohl es sich bei vielen Worten, die er zur Beschreibung verwendet hatte, nur um Bildentsprechungen, um Begriffe verwandten Sinngehalts handelte, hatten sie die Gedankenscherben, die der Apparat herausgepickt und in Mortimers Gehirn geleitet hatte, doch zu einem einigermaßen geschlossenen Bild vereinigen können.

Da existierte also eine Zivilisation einer Entwicklungsstufe, die sich etwa mit der des Menschen vor einigen Jahrhunderten vergleichen läßt. Es gab Straßen und Gärten, Technik und Wissenschaft, Familien und Staatsoberhäupter, Wettkämpfe und Spiele, Arbeit und Freizeit, Freude und Zuneigung, Städte und Dörfer, Gebildete und Dumme, Babys und Erwachsene, Nachrichten und Briefe, Verbotenes und Erlaubtes, Eltern und Kinder, Betten und Schulen, Mahlzeiten und Spaziergänge ... Es gab das, was es auch auf der Erde gab, wenn auch in ganz anderer Form, aber doch in verblüffender Übereinstimmung. Nur eines gab es nicht – und die besondere Art einer submarinen Zivilisation verhieß, daß es sie noch lange nicht geben würde: nämlich Raumschiffe. Damit war das Problem zur allgemeinen Zufriedenheit gelöst: Von dieser Seite drohte keine Gefahr. Die Menschen durften ihre neue Welt ohne Bedrohung aufbauen.

22

Sechs Monate lebten sie nun schon auf ihrem Planeten, im Frühjahr waren sie gelandet, ein angenehmer nicht zu heißer Sommer war über sie hinweggegangen, eine Schönwetterperiode, nur von wenigen Gewittern unterbrochen, und jetzt war der Herbst eingezogen. Das Laub färbte sich grau und dunkelviolett, aber die Farben waren schmutzig, ins Graue und Braune verwischt, so daß dieser kleine Unterschied eines fremdartigen Chemismus kaum auffiel.

Die kleine Gruppe von Menschen konnte sich glücklich schätzen. Es hatte keinerlei unvorhergesehene Schwierigkeiten gegeben, keine Naturkatastrophen, keinen Einfall von Ungeheuern, keine seltsamen Krankheiten, keine Vergiftungen durch unbekannte Pflanzengifte. Was es zu überwinden galt, hätte es auf der Erde genauso gegeben – Nässe, Erkältungen, Ungeziefer … Auch hierüber durften sie sich nicht beklagen. Was aber nicht so weiterging, wie sie es erhofft hatten, war der Aufbau ihrer Behausungen, ihrer Einrichtungen. Oft waren es nur scheinbare Kleinigkeiten, die sie hinderten – so fehlte ihnen etwa eine Art Telefon von einer Arbeitsstelle zur anderen. Wenn irgendwo ein Gerät ausfiel und sie Ersatzteile oder einen Spezialisten brauchten, dann mußte sich einer auf die Beine machen und nach den anderen suchen. Gewiß – sie besaßen zwei tragbare Funkanlagen, aber diese reichten nicht. Sie hätten auch einige weitere bauen können, aber damit wären zwei Männer einige Wochen lang beschäftigt gewesen. Sie verschoben es für später …

Überall traten solche Unannehmlichkeiten auf – beispielsweise das Fehlen ausgebauter Wege zu jenen Stellen, an denen sie Steine brachen und Bäume fällten. Sie zogen ihre Rohmaterialien mit dem Traktor quer über die Wiesen und durch den Wald, und allmählich bildete sich so etwas wie ein Trampelpfad; wenn es regnete, wurde er allerdings zu einem Lehmsumpf. Doch noch hatten sie den Eindruck, sich freiwillig zu bescheiden. Mit ihren Geräten hätten sie ja eine Straße bauen können, wenn sie es gewollt hätten – nur waren sämtliche Robotfahrzeuge und die Geräte der Reparaturanlage beim Hausbau beschäftigt.

Der Hausbau galt lange als das vordringliche Problem. Das eigene Heim – allen schwebte es als die eigentliche Verkörperung ihrer Wünsche vor, und sie arbeiteten hart, ohne Rücksicht auf sich selbst. Sie hatten keine Zeit, sich darüber zu wundern, welch primitive Arbeiten sie dabei immer wieder zu verrichten hatten. Bis schließlich van Steen bei einer ihrer abendlichen Zusammen-

künfte nachwies, daß sie vor allem für die Erhaltung der Grünanlagen und der Zellkulturen zu sorgen hätten. Mit unterdrückter Wut mußten sie zustimmen, daß die Reihe der Häuser, die
sie schon an der Felsstufe gebaut hatten, eilig als Witterungs-
schutz für Algen, Nährpflanzen und synthetisches Gewebe um-
gebaut wurden.

Im Spätherbst kippte der Traktor in eine Mulde, die von fleischigen Blattpflanzen so durchwachsen war, daß man sie übersehen hatte. Es kostete große Mühe, ihn wieder herauszuziehen,
und er schien auch nur wenig beschädigt zu sein, aber dieses
Wenige hatte es in sich – ein Verbindungsstück der Achshalte-
rung war gebrochen, und sie hatten keinen Ersatzteil zur Hand.
Einer der Ingenieure arbeitete eine Woche daran, das Stück neu
herzustellen, aber dabei geriet er mit jener Gruppe in Konflikt,
die eine Leitung zur Beförderung des Heizstroms vom Schiff zu
den Gewächshäusern errichten sollte, denn diese benötigte den
automatischen Metallformer zur Produktion von Drähten, von
denen es keine Reserven gab. Und außerdem fiel der Traktor für
eine Woche aus.

Am Abend des ersten schweren Herbststurmes saßen sie wieder auf Deck A. Längst hatten sie es sich dort ein wenig bequemer eingerichtet – durch Sitzgelegenheiten und Liegen, die längs
der Wand aufgestellt waren. Jemand hatte sogar einen großen
Erlenmeyerkolben mit Nährsalzen aufgestellt, aus dem sich
Kletterorchideen rankten. Seit es kühler geworden war, erschien
es im Freien für ihre Zusammenkünfte zu unfreundlich. Auch
versuchte niemand mehr, draußen zu nächtigen. Es war, als zö-
gen sie sich allmählich wieder in den schützenden Leib ihres
Schiffes zurück.

In dieser Zeit hielt keiner mehr große Ansprachen, sie waren
müde geworden und reizbar, und hatten keinen anderen Wunsch,
als in Frieden gelassen zu werden. Nur allmählich erwachten sie
aus ihrer Müdigkeit, als sich in einer Ecke eine laute Debatte ent-
spann.

Wortführer war der Leiter jenes Teams, dem die Erdarbeiten

für eine Wasserleitung oblagen; sie sollte von einer nahen Quelle zur Siedlung führen.

»Wir werden nicht mehr fertig bis zum Einbruch des Frosts«, beklagte er sich. »Ich möchte aber sehen, wer im Winter das Wasser durch den Schnee heranfährt! Ich brauche mehr Leute. Wenn wir uns alle zusammen drei Tage auf diese Arbeit konzentrieren, können wir es noch schaffen!«

Von allen Seiten schlugen ihm Proteste entgegen.

»Und die Lichtanlage?«

»Das Dach muß unbedingt erst fertigwerden.«

»Helft mir lieber beim Bau der Materialseilbahn!«

Guido versuchte, die Aufgeregten zu beruhigen. »Vielleicht können wir deinen Trupp ein wenig verstärken!«

»Die Wissenschaftler müssen etwas mehr zugreifen. Drei von ihnen sind heute weggeblieben.«

Ein Chemiker kam empört aus seinem Winkel hervor, von dem aus er der Unterhaltung gelauscht hatte.

»Den ganzen Tag habe ich mich damit beschäftigt, ein Düngemittel herzustellen. Das war kein Vergnügen! Um vernünftige Mengen zu erhalten, mußte ich das Phosphorerz im offenen Kessel mit Salpetersäure kochen. Jetzt noch hängt mir die Lunge heraus!«

»Dann laß deine Giftküche stehen! Die Wasserleitung ist wichtiger!«

Was ist wirklich wichtiger? fragte sich Mortimer. Düngemittel, Hausbau, Licht, Wasser? Er blickte über seine Schicksalsgefährten hinweg. Der Anblick war nicht erfreulich. Sie sahen ungepflegt aus, schmutzig, verwildert. Die Männer waren unrasiert, die Frauen hatten das Haar kurzgeschnitten wie Strafgefangene, ihre Haut war ungepflegt, ihre Kleidung fleckig.

Was alles wäre nötig, um diesen Verfallserscheinungen entgegenzuwirken? Bäder, Massage, Haarpflege, Maniküre, Pediküre? Nicht daran zu denken!

Aber wie stand es mit kulturellen Werten? Wer las noch? Wer ging in den Freizeitraum, um an der Projektionsorgel freie

Form- und Klangspiele zu entwerfen? Wer versuchte sich weiter-
zubilden? ·

Zu all dem hätten sie viel mehr Zeit haben müssen. Aber es
handelte sich doch um eine Übergangssituation! In einem Jahr
... Er stockte – in einem Jahr konnten sie noch nicht so weit
sein ... vielleicht brauchten sie zehn Jahre, zwanzig Jahre. Oder
brauchten sie – und erschreckt fiel ihm Derrecks Prophezeiung
ein – brauchten sie Generationen? Dann war der Verfall nicht
mehr rückgängig zu machen. Jetzt, da er die ersten Anzeichen
mit eigenen Augen sah, gab es keinen Zweifel mehr daran: All
das, was sie an kulturellen Gütern zu bewahren hatten, zerrann
ihnen unmerklich unter den Händen.

Den Winter verbrachten sie im Elfenbeinturm ihrer Rakete.
Nur selten wagte sich einer hinaus in Matsch und Schnee – die
warme Kleidung reichte nicht, und die meisten empfanden es als
lächerlich, in geheizten Vakuumanzügen durch das Tal zu stap-
fen. Oft saßen sie unter den Bildschirmen und versanken in den
Anblick der kahlen Äste und Bäume, der schwerbeladenen Wol-
kenschwaden, der steigenden Nebel am Fluß, des dahintreiben-
den Eises, des Fleckenteppichs aus Pfützen und Erde, in den sich
die Ebene allmählich verwandelt hatte.

Nach südlichen Gegenden aufbrechen? Noch einmal beginnen?
Was sollte sich daraus ergeben? Neue Anstrengungen? Urwald,
tropische Tiere, Feuchtigkeit, Hitze. Schuften im Fieberdunst der
Sümpfe. Ungewohntes Klima. Krankheiten. Mißerfolge. Ent-
täuschungen. Sie waren zu träge dazu. Lange Perioden hindurch
schliefen sie – die Versorgung mit Nahrungsmitteln war ausgefallen. Der Schnee hatte das Glasdach des größten Gewächshau-
ses eingedrückt. Im Frühjahr würden sie wieder neu anfangen.
Ein neues Jahr lag vor ihnen ... Ja, im Frühjahr ...

Es kam das Frühjahr mit dem Eisstoß, der die graubraunen
Schollen hoch in die Wiesen hinaustrieb. Die Überschwemmung.
Ohne Bewegung beobachteten sie die gelbe Brühe, die den letzten
Rest ihrer Häuser träge mit sich in die Ferne trug.

Es kam das Aufsprießen des Rispengrases, die Enden der Nadelbäume färbten sich weißgrün. Die Sonne trocknete den Boden, und Mutige wagten sich gelegentlich schon hinaus, um sich der wärmenden Strahlung auszusetzen.

Noch hatte sie die Gleichgültigkeit nicht völlig übermannt. Einige taten sich zusammen, begannen Hütten zu bauen und Gärten anzulegen. Sie holten hübsche Gewächse von den Waldrändern und pflanzten sie in Beete. Wenn der Wind die schwachen Laubmauern eindrückte, der Regen die Beete durchwühlte, wenn sie Hunger hatten, froren oder sich krank fühlten, kamen sie ins Schiff zurück. Hier herrschte stets gleichbleibende Wärme. Wenn man sich einige Wochen dem Schlaf der Erstarrung hingab, reichte auch die Nahrung aus den Hydroponikanlagen. Man konnte sie sich von der Automatenküche zubereiten lassen, ohne auch nur einen Fuß zu regen.

Auch Mortimer hatte seine Sturm- und Drangperiode. Eines Morgens im Frühsommer suchte er Maida und fand sie wie erwartet auf einem nahegelegenen Hügel, von dem aus sie den Lauf des Flusses bis zu den dunkelblauen Bergen verfolgen konnte, zwischen denen er sich verlor.

»Irgendwo dort muß das Meer sein«, sagte sie, als sich Mortimer neben sie setzte.

»Wollen wir es suchen gehen?« fragte er. Sie blickte hinaus ins Ungewisse jenseits des Horizonts. Um ihre Lippen spielte ein Lächeln. »Ja, gehen wir es suchen – morgen, ja?«

»Am Meer ist das Klima milder«, sagte Mortimer in einem Tonfall, als erzähle er ein Märchen. »Die Winter sind mild. Es gibt Fische, Krebse, Muscheln, das ganze Jahr über. Keinen Hunger. Wir hätten Zeit uns einzurichten.«

Maida spann den Gedankenfaden weiter.

»Ein kleines Häuschen, ein Garten, Kinder, die spielen. Frieden. Niemand, der einem Befehle gibt. Am Vormittag Arbeit. Am Nachmittag Ruhe, Sicherzählen, was geschehen ist. Erinnerungen, was früher war. Im Traum muß ich es schon einmal gesehen haben. Wie schön es wäre!«

Mortimer drängte: »Wollen wir es versuchen, Maida?«

»Gewiß, wir wollen es versuchen.«

»Wir beide ganz allein! Schau sie doch an, wie sie sich gehen lassen! Keiner rafft sich mehr auf. Sie verkommen. Aber wir nicht. Wir fangen von vorn an, ganz von vorn. Wir brauchen niemand anderen!«

»Ja, wir beide – nur wir beide«, bestätigte Maida.

Am nächsten Tag regnete es, und sie verschoben den Aufbruch. Auch der übernächste Tag war windig und unfreundlich. Aber am dritten brachen sie wirklich auf. Mortimer hatte in einer kleinen Tasche ein wenig Proviant und einige Werkzeuge verpackt – ein Messer, ein Beil, ein paar Angelhaken, ein Phosphorfeuerzeug, einige Meter Draht. Maida trug eine Decke. Sie nahmen von niemandem Abschied, und niemand beachtete sie.

Sie blieben zehn Tage weg – dann waren sie plötzlich wieder da. Maida hatte ein Knie zerschunden und einen Dorn in der Ferse. Beide sahen abgezehrt und hungrig aus. Wortlos gingen sie in ihre Kabinen.

23

Der Sommer erreichte seinen Höhepunkt, ohne daß jemand ernstliche Anstrengungen gemacht hätte, an der geplanten Siedlung weiterzubauen. Einige Gartenhäuser – das war alles, was entstand.

Der Arzt war der einzige, der ernstlich zu arbeiten bekam. Zwei Männer hatten Streit miteinander bekommen – es war um eine Frau gegangen. Der Messerstich in die Lunge war nicht schwer zu heilen, noch arbeiteten die biophysikalischen Geräte einwandfrei. Und einige Kinder wurden geboren, Früchte der Hoffnungen des Vorjahres. Doch sie schufen keine besonderen Probleme; die Nahrungsmittel reichten auch für fünf Esser mehr aus – wozu sich Gedanken machen?

Mortimer registrierte alles, was um ihn herum geschah, wie

ein unbeteiligter Beobachter. Er sah, wie sie ihre Zeit vertaten, wie sie herumstanden, dies und jenes anfingen, nichts zu Ende führten. Er beobachtete Lucine, die ein Spalier aus Kletterorchideen gebaut hatte und sich mit beachtlichem Eifer damit beschäftigte. Manchmal drängte es ihn zu einem neuen Versuch, sich aufzuraffen, ein eigenes Leben zu beginnen. Lucine – ihre Liebe zu den Blumen! Ihre Ausdauer, ihr Frohsinn! Aber dann zuckte er die Schultern und brachte diese Träume zum Schweigen. Sie waren irreal. Es lag einfach daran, daß es ein paradiesisches Dasein für ein paar Menschen allein nicht gibt – und geschweige denn für zwei Menschen allein. Ja, wenn sie Wilde gewesen wären, Primitive, zufrieden mit ein paar Fetzen Fleisch, ein paar Früchten des Waldes, einem Laubbett. Aber das war es eben: Sie waren keine tierhaften Urmenschen. Und sie wollten nicht aufgeben, was sie besaßen. Wahrscheinlich konnten sie es nicht.

Eines Tages ging er zu Derreck, der erschreckend abgemagert war, obwohl er auch nicht weniger zu essen hatte als die anderen. Aber es war nicht der Hunger – das verriet sein Blick. Seine Augen waren verschleiert, als sähe er weit in die Zukunft hinaus.

Mortimer legte ihm die Hand auf die Schulter.

»Du hast recht gehabt, Derreck. Wir hätten es wissen müssen. Nur du hast es geahnt. Hättest du es nicht verhindern können?«

»Soll ich wirklich etwas tun?« fragte Derreck. »Gegen den Willen der anderen? Darf ich alle Hoffnungen zerstören?«

Mortimer blickte über die weite Ebene. Da und dort hielten sich ein paar Menschen auf – meist einzeln, als ertrügen sie die Anwesenheit anderer nicht.

»Hoffnung? Wer hat noch Hoffnung?« Und dann fiel ihm etwas an Derrecks Antwort auf: »Soll ich ...«, hatte er gesagt, »darf ich ...?« Bedeutete das, daß er noch einen Ausweg wußte? Erregt wandte er sich dem Freund zu, durchforschte dessen Gesicht. »Was können wir noch tun? Können wir wirklich noch etwas tun?«

Derreck erwiderte den Blick ernst. Erst nach einer Weile fragte er: »Weißt du wirklich, woran es liegt – das da?« Er deutete vage in die Umgebung.

Mortimer nickte. »Wir sind zu wenige – wie du gesagt hast, Derreck. Wir haben das Wissen. Und wir haben Mittel für alles, könnten jeden einzelnen Plan einwandfrei verwirklichen, Nahrung herbeischaffen, Werkzeuge bauen, eine Straße, eine Seilbahn, eine Wasserleitung. An Energie leiden wir keinen Mangel. Die Fachkräfte sind da. Wir könnten jedes für sich verwirklichen – aber nicht alles zusammen. Wir brauchen nicht mehr Wissen, sondern mehr Menschen, die es verwenden. Einfache Arbeiter, die tun, was man ihnen sagt. Menschen ohne Ehrgeiz, ohne Willen zum Besonderen, brave Männer und Frauen mit geraden und einfachen Grundsätzen. Die Masse. Noch nie habe ich gesehen, wie wesentlich sie ist.«

»Dann kennst du die Konsequenz?«

»Welche Konsequenz?«

Derreck zeigte jetzt geradezu Ungeduld.

»Den einzigen Schluß, der möglich ist! Den einzigen Weg, auf dem unser Dasein wieder sinnvoll und fruchtbar wird!«

»Nein«, stammelte Mortimer. »Ich sehe keinen Weg.«

»Und dabei liegt er doch so nah!« Derrecks Gesicht hatte jetzt einen unerbittlichen Zug, der noch nie darauf zu sehen gewesen war. Er sah aus, als entschiede er mit dem, was er jetzt sagte, über ihrer aller Schicksal. Er schwieg einen tiefen Atemzug lang, dann fuhr er hastig fort: »Erinnerst du dich nicht an die kleinen weißen Wesen des blauen Planeten? An ihre Lebensweise, an ihre Technik? Hast du nicht bemerkt, wie verwandt sie uns sind – nicht gerade im Metabolismus, aber in den Entwicklungsmöglichkeiten?«

»Sollen wir uns mit ihnen . . .«

Derreck ließ ihn nicht zu Worte kommen. »Es gibt keine Zwischenlösung. Das einzige, wodurch wir unserem Leben wieder Sinn geben, ist ein völliges Aufgehen in ihnen.«

»Aber ihr Lebensraum, das Ammoniakmeer . . .«

»Das ist für unseren Stand der Biophysik kein Hindernis. Du

weißt selbst am besten, daß sich Persönlichkeiten übertragen lassen.«

Jetzt erst fühlte es Mortimer kalt seinen Rücken hinunterrieseln. Tonlos stammelte er:

»Wir wären keine Menschen mehr ... in den Körpern der weißen Wesen ...«

»Sie sind nicht schlechter als wir«, gab Derreck zurück. Er stockte. Dann fügte er fast sanft hinzu: »Du wolltest es wissen.«

»Laß mir Zeit, um damit fertig zu werden«, bat Mortimer.

Tagelang saßen sie am Computer und spielten alle Möglichkeiten durch. Sie gaben die Informationen ein, die Mortimer über die Lebensweise der Meereswesen empfangen hatte, und bekamen ein grob umrissenes Bild, das indes alles Wesentliche enthielt. Es bestand gar kein Zweifel mehr – hier lag das einzige, was sie vom Untergang, bestenfalls vor dem Rückfall in die Primitivität bewahrte. Was sie wußten, was sie konnten, würde nicht verlorengehen. Es würde auf fremdem Boden gesät, und es würde aufkeimen. Es würde Früchte hervorbringen, wie sie niemand voraussehen konnte – ja, niemand konnte letztlich beurteilen, ob es richtig oder falsch war. »Diese Frage liegt jenseits von Richtig oder Falsch«, meinte Derreck. »Nur eines ist sicher – das, was wir darstellen, das Ergebnis einer Jahrmillionen alten Entwicklung, geht nicht verloren. Es gliedert sich wieder ein in einen verwandten Prozeß, treibt ihn an. Hier liegt eine Grenze vor dem, was wir wissen. Nur eines gibt uns einen Schimmer einer Bestätigung dafür, daß wir recht handeln: daß selbst hier, unschätzbar weit von der Erde entfernt, ähnliche Entwicklungen vor sich gehen. Was wir vorhaben, bedeutet nichts anderes, als sich dieser Wahrheit zu fügen.«

Die Zeichen der Gleichgültigkeit, des Verfalls um sie herum wurden immer deutlicher. Hin und wieder aber brachen ungezähmte Triebe hervor – einige schlugen sich um Frauen, einige beanspruchten Besitztümer, die ihnen nicht gebührten, einige drangen in fremde Kabinen ein, weil sie ihnen bequemer erschienen. Noch stemmte sich dann der gemeinsame Wille zur Ordnung gegen zügellose Einzelgänger, aber es war nur eine Frage der Zeit, wie lange sich das Gleichgewicht bewahren ließ.

»Werden sie ihre Einwilligung geben?« fragte Mortimer.

»Warte bis zum Winter!« schlug Derreck vor. »Ich will niemand überrumpeln. Soweit ich voraussehen kann, sind dann die letzten Funken eigener Initiative erloschen. Wir müssen für sie entscheiden – ich glaube nicht, daß es Widerstände geben wird. Letztlich sind alle gebildete Menschen – ich hoffe, ich kann es ihnen erklären. Aber ich bin froh, daß du mir hilfst. Allein hätte ich es nicht durchstehen können.«

Sie benützten die Zeit bis zum Winter, um alle Einzelheiten des Planes vorzubereiten. Es schien keine prinzipiellen Schwierigkeiten zu geben. Die Übertragung des Gehirninhaltes selbst war an Versuchstieren schon oft genug ohne Zwischenfälle verlaufen, und je größer die Speicherkapazitäten waren, um so einfacher wurde es. Sie zogen Dr. Belgast, den Biophysiker ins Vertrauen; er hatte sie schon auf der Expedition zum blauen Planeten begleitet – die weißen Wesen waren ihm nicht mehr fremd, und von der Warte seiner Wissenschaft aus spürte er keine gefühlsmäßige Abneigung gegen Übertragungsversuche. Er war mit ihrem Plan bald einverstanden. Sie bauten ein Antennensystem, das sie auch in flüssigem Ammoniak einsetzen konnten, und Dr. Belfast entwickelte ein Betäubungsmittel, einen phosphorhaltigen Kohlenwasserstoff, der seiner Meinung nach eine kurzfristige Lähmung an den Ammoniakorganismen hervorrufen sollte; als Unterlage dazu diente ihm der Befund seiner Untersuchung am toten Körperchen des gefangenen Jungen.

Mit ihren Vorbereitungen waren sie viel früher fertig, als es nötig war, und sie hatten viel Zeit, um nachzudenken. Von dem Augenblick an, zu dem sie ihre Entscheidung gefällt hatten, schien sich die Welt um sie herum zu wandeln. Was Mortimer noch bis vor kurzem ein langweiliger und in seiner Weite bedrückender Landstrich gewesen war, wurde zu einem bescheidenen Paradies, einem Flecken der Wunschlosigkeit, wie man ihn

bei befristeten Sommeraufenthalten in lieblichen Naturreserva-
ten erlebt. Er machte lange Spaziergänge, wanderte oft hinunter
zum Fluß, schaute über die braune Oberfläche, in der es strudelte
und trieb, so wie der Wind über das Fell eines Tieres streicht. Er
saß auch lange Zeit mit Maida zusammen, oder mit Lucine, bei
schwerelosem Geplauder, ohne Wünsche oder Begehren.

Eines Abends im Herbst stand er mit Derreck auf einer nahen
Anhöhe und blickte hinüber zum Landeplatz, auf dem die Rakete stand, einem unverrückbaren Wahrzeichen gleich.

»Trotz allem«, sagte er, »wir verlieren viel. Jetzt, wo ich
weiß, daß wir es verlieren, weiß ich erst, wieviel es ist.«

Derreck fragte zurück: »Meinst du, in mir sind die alten sen-
timentalen Träume nicht genauso lebendig wie in dir?«

»Vielleicht sollten wir uns wenigstens einen Schimmer davon
erhalten«, gab Mortimer zu erwägen.

»Du denkst an eine Rückkehr? Urlaub vom Ammoniakmeer?
Daran ist nicht zu denken.«

»Nicht an eine Rückkehr. An Urlaub – vielleicht. Hör zu!«
Und er schilderte einen Plan, den er schon seit Tagen mit sich
herumgetragen hatte und der nun endlich gereift war. »Wir haben Energie zur Verfügung, soviel wir wollen. Die Rakete brauchen wir nicht mehr. Die Einrichtungen verlieren für uns in unserer neuen Gestalt jeden Sinn. Und die Zeit, die wir benötigen,
um die Insel herzurichten – darauf kommt es auch nicht an.
Dann werfen wir unsere alten Körper wenigstens nicht fort wie
abgetragene Anzüge, sondern können gelegentlich wieder in sie
hineinschlüpfen, das Gefühl auskosten, das sie verleihen. Sie sind
sowieso vergänglich, und dann soll es auch endgültig vorbei sein.
So aber nützen wir sie noch aus – bis zum Ende.«

Derreck hielt die Hand vor die Augen, als müsse er ein Bild
festhalten, das in ihm aufgestiegen war. Dann lächelte er und
sagte: »Du hast recht. Warum sollten wir es nicht tun?«

24

Im Winter fuhren sie los. Die anderen hatten zugestimmt. Vielleicht war ihnen der Plan nicht ganz klar geworden, aber es sah aus, als wäre ihnen alles recht, was ihnen ein neues Ziel setzte. Sie brauchten einige Zeit, um sich dem Dämmerzustand des Nichtstuns und des Schlafs zu entziehen, aber es schien ihnen ähnlich zu gehen wie Mortimer: Langsam erwachten sie wieder.

Der blaue Planet schwebte unter ihnen, und sie suchten eine unbesiedelte Stelle, eine Art submarines Tafelgebirge, dessen Plateau nur wenige Dutzend Meter unter dem Ammoniakspiegel lag. Sie ließen den Wasserstoffsprengsatz fallen und beobachteten den aufsteigenden Pilz, der sich langsam in eine Rauchfahne verwandelte und verwehte. Darunter kam ein Eiland zum Vorschein, eine Kraterinsel mit einem dunklen und schroffen Ringgebirge, in deren Mitte ein rotglühender Fleck saß. Es dauerte aber nicht lang, und er verdunkelte sich und erlosch. Zurück blieb ein Stück eingeebneten Landes, eine Tafel aus Lava und Bimsstein. Langsam und sicher setzten sie darauf auf. Und noch einmal begann eine Zeit harter gemeinsamer Arbeit. Diesmal brauchten sie nicht zu sparen und zu rationieren. Die ungeheuren Energiemengen, die noch immer in den eingefrorenen Mesonen steckte, durften sie nun ruhigen Gewissens bis auf einen kleinen Rest für Heizung und Beleuchtung aufbrauchen. Das größte technische Problem, das sie zu lösen hatten, war das der Temperaturen und des Luftdrucks. Van Steen und seine Physiker legten ein schirmartig gewölbtes Antigravfeld um die Rakete herum, das keine Gase und keine Wärmeschwingungen durchließ. Sie konnten es nicht allzu groß machen, aber es reichte aus, um einen Umkreis von etwa zweihundert Metern zu bedecken. Im Gestein fanden sie genügend Oxide, um ein atembares Helium-Sauerstoff-Gemisch zu schaffen, mit dem sie den feldumschlossenen Raum füllten. Innerhalb dieses Platzes konnten sie sich nun frei bewegen, und sie verwendeten mehrere Wochen darauf, um aus dem Lavafeld einen Garten zu machen. Sie zerkleinerten die glasigen Massen zu Sand und Staub und gewannen einen fruchtbaren Untergrund, auf dem jene Pflanzen gediehen, die sie mitgebracht hatten; einige stammten noch von der Erde. Die geringe Radioaktivität des Gesteins würde den Blumen nicht schaden, und auf sich selbst brauchten sie keine Rücksicht zu nehmen.

Auch das Innere der Rakete gestalteten sie neu. Die größeren Räume wurden mit bequemen Sitzgelegenheiten versehen; man sah ihnen kaum noch an, daß es einst Andruckstühle und Liegebetten waren. Einige Kabinen wurden auf Kosten der anderen mit allem möglichen Komfort ausgestattet – sie brauchten nur einige, denn nie würden sie alle gemeinsam zurückkommen können. Jene Apparaturen, die nicht zur Ruhe kommen durften, wurden auf Dauerbetrieb gestellt – die Luftversorgung, die Heizung und natürlich auch die Hydroponiktanks sowie die anderen Anlagen für die Versorgung mit Nahrungsmitteln. Besonders gut bewährten sich die Robotwagen; sie wurden auf persönliche Dienstleistungen umprogrammiert, und es schien, daß keiner der Urlauber selbst Hand anlegen müssen würde.

Inzwischen hatten einige Wissenschaftler einen Stollen durch das Kratergebirge gesprengt, dessen Spitzen sich nun mit verfestigtem Ammoniak weiß überzogen. Der Gang mündete unter der Oberfläche ins Meer. Dort, wo in seiner Mitte der Luftraum an die Flüssigkeitsschicht stieß, hatten sie eine Kammer ausgehöhlt, die als Labor und als Aufbewahrungsraum für die stillgelegten Körper diente. Mit einem ein wenig umgebauten Raumboot, das einst für Außenreparaturen während des Flugs bestimmt war, fuhr Dr. Belgast mit Olson los, um eine Ansiedlung der fremden Wesen zu finden. Während der Nacht näherten sie sich ihr und ließen das Betäubungsmittel in die vier aneinandergebauten Pyramidenhäuser fließen. Dann legte der Biophysiker einen druck- und kältegeschützten Spezialanzug an und ging durch die Schleuse hinaus. In einem Netz zog er einige der betäubten Wesen mit sich. Sie mußten den Weg mehrmals zurücklegen, ehe sie für jeden eines der Geschöpfe gefangen hatten.

Und nun waren sie bereit.

Sie standen am Tor des Ganges und warfen einen letzten Blick auf das Bauwerk, den Elfenbeinturm, der das letzte Bindeglied zur Vergangenheit war. Mortimer stellte sich neben Derreck. Das Bild verschwamm vor seinen Augen.

»Werden wir uns – ich meine, in unserem neuen Dasein, erinnern können – an früher?

»Nein. Es würde uns daran hindern, uns völlig in die Gemeinschaft der anderen einzugliedern. Es würde uns unzufrieden machen, wankelmütig. Ansonsten wird es so ähnlich verlaufen wie seinerzeit bei dir, als du mit Baraval vereinigt wurdest: Wir werden alle Informationen der weißen Wesen zur Verfügung haben, und dabei doch wir selbst bleiben. Nur die Erinnerung an alte Erlebnisse werden wir löschen. Wie wir uns schließlich selbst empfinden werden, kann dir niemand mit Sicherheit sagen. Auch ich nicht.«

»Und wie sollen die . . . die Besuche hier auf der Insel vor sich gehen?«

»Durch einen posthypnotischen Befehl. Und ebenso werden sie wieder abgebrochen.«

»Und während des Aufenthalts?«

»Er würde zur Qual, wenn uns alles wieder klar ins Bewußtsein käme. Die Erinnerung bleibt gelöscht.« Nach einigen Sekunden sagte er: »So hast du es dir nicht vorgestellt? Es geht nicht anders. Der Schritt, den wir zurückmachen können, ist recht bescheiden. Und nun nimm Abschied!«

Es gab nichts mehr zu sagen. Sie wanderten in den dunklen Gang hinein. Einer nach dem anderen setzte sich auf den Stuhl, der neben einem großen verschlossenen Tank stand. Darin schwebten, an Polypen erinnernd, ein paar Dutzend anscheinend lebloser durchsichtiger Wesen von unheimlichem Aussehen. Einer nach dem anderen der Menschen verlor das Bewußtsein, und sein Körper wurde von dem Zurückgebliebenen auf eine Liege gebettet und in einen riesigen Tresor geschoben. Für den letzten besorgte das eine Automatik. Dann rollte der Tank auf

Schienen durch die Schleusentür und öffnete sich. Einige zart-
gliedrige durchsichtige Wesen trieben hinaus. Nach einiger Zeit
begannen sie zu zucken und nach einer weiteren kleinen Weile
glitt ein silbriger Schwarm eilig durch die eisige Flüssigkeit, hinaus ins offene Meer.

*

Am Fuss der Treppe blieb Mortimer stehen, als hätte er etwas vergessen. Er drehte sich um und sah in den orangefarben durchleuchteten Raum zurück, den er eben verlassen hatte. Eine der Frauen stand an der Scheibe und blickte hinaus – sie konnte ihn nicht sehen, ihre Augen hingen irgendwo im Ungewissen, und unvermittelt begann wieder eine Erinnerung zu pochen. Jetzt erhob sich die andere und stellte sich daneben.

Da ertönte wieder der Ruf – unüberhörbar und entschieden. Ein leichter Schleier wogte um ihn herum ... warum ... wohin? Irgendwo war da etwas ganz anderes, etwas, was auf ihn wartete, was ihn brauchte. Er sah fünf handspannengroße, einäugige, weiße Körperchen vor sich, und sein Herz erfüllte sich mit Zärtlichkeit.

Und dann stand das lichte Rechteck des Vestibüls wieder vor ihm wie eine Wand, das Fenster zu einer anderen Welt, von der er ausgeschlossen war, etwas Vergangenes, Versunkenes.

Zwei Schatten am Fenster, schlank, hoch aufgerichtet, ein Traum – sonst nichts.

Ruckartig drehte sich Mortimer um. Zuerst war es, als risse er sich mit Gewalt von etwas los, das ihn mit tausend Fäden zu halten suchte, als müsse er sich gegen einen zähen Brei anstemmen. Mühsam, mit kurzen Schritten, begann er zu laufen. Sand knirschte unter seinen Füßen ... es war dämmerig ... neben ihm der Schatten einer Bank ... Allmählich fühlte er sich freier. Er kam an eine Kette, die ihm den Weg versperrte, er klinkte sie aus, schlüpfte hindurch und fügte den Ring wieder in die Öse. Noch immer lagen einzelne Sandkörner am Boden, aber er kam rascher vorwärts, und nun bewegte er sich auch schon in rhythmischen, zielbewußten Sprüngen.

Als ihn das Tor aufnahm, wußte er nichts mehr von den zwei Schatten am Fenster, vom Tal der Blumen und der Langeweile, vom Turm aus Elfenbein.

ENDE

Goldmanns WELTRAUM Taschenbücher

In einer Zeit stürmischen wissenschaftlichen und technischen Fortschritts wenden sich viele Schriftsteller einem neuen Themenkreis zu: den Fragen nämlich, wie unsere Welt von morgen beschaffen sein mag. – So entstand besonders in den angelsächsischen Ländern die Science-Fiction-Literatur, deren beste utopisch-technische Romane und Erzählungen jetzt in deutscher Sprache in der neuartigen Buchreihe »Goldmanns WELTRAUM Taschenbücher« erscheinen.

Bisher sind erschienen:

Poul Anderson	Hüter der Zeiten. *Utopisch-technischer Roman*
Poul Anderson	Die Menschheit sucht Asyl. *Utopisch-techn. Roman*
Poul Anderson	Der Untergang der Erde. *Utop.-techn. Abenteuerroman*
Isaac Asimov	Radioaktiv. *Utopisch-technischer Abenteuerroman*
Isaac Asimov	Der fiebernde Planet. *Utop.-techn. Kriminalroman*
Isaac Asimov	Sterne wie Staub. *Utop.-technischer Abenteuerroman*
Isaac Asimov	Wasser für den Mars. *Utopisch-techn. Erzählungen*
Alfred Bester	Sturm aufs Universum. *Utop.-techn. Kriminalroman*
Lloyd Biggle	Für Menschen verboten. *Utop.-techn. Kriminalroman*
James Blish	Auch sie sind Menschen … *Utopisch-techn. Roman*
James Blish	Stadt zwischen den Planeten. *Techn. Zukunftsroman*
Sergius Both	Planet der Verlorenen. *Utop.-techn. Abenteuerroman*
Jeffery Lloyd Castle	Raumschiff ›Omega‹. *Technischer Zukunftsroman*
Jeffery Lloyd Castle	Raumstation E 1. *Technischer Zukunftsroman*
L. Charbonneau	Flucht zu den Sternen. *Utop.-techn. Kriminalroman*
Arthur C. Clarke	Die andere Seite des Himmels. *Utop.-techn. Erzählg.*
Arthur C. Clarke	Im Mondstaub versunken. *Technisch. Zukunftsroman*
Arthur C. Clarke	In den Tiefen des Meeres. *Utopisch-techn. Roman*
Arthur C. Clarke	Inseln im All. *Utopisch-technischer Roman*
Arthur C. Clarke	Projekt: Morgenröte. *Utopisch-technischer Roman*
Arthur C. Clarke	Die sieben Sonnen. *Utop.-techn. Abenteuerroman*
Arthur C. Clarke	Verbannt in die Zukunft. *Utop.-techn. Erzählungen*
Mark Clifton	Der Berg aus Quarz. *Utopisch-technischer Roman*
Mark Clifton	MacKenzies Experiment. *Utop.-techn. Erzählungen*

Fortsetzung nächste Seite

Jeden Monat erscheinen zwei neue Bände

WILHELM GOLDMANN VERLAG MÜNCHEN

Verehrter Leser,

senden Sie bitte diese Karte ausgefüllt an den Verlag. Sie erhalten dann kostenlos die Verlagsverzeichnisse und laufend die Literaturbriefe, die Sie über die Neuerscheinungen des Verlages unterrichten, zugesandt.

WILHELM GOLDMANN VERLAG AG MÜNCHEN 8

Bitte hier abschneiden

Diese Karte entnahm ich dem Buch: _____

_____

Mein Urteil über das genannte Buch: _____

_____

_____

_____ W

Der—die Unterzeichnende wünscht kostenlos und unverbindlich die regelmäßige Zusendung der Verlagsverzeichnisse und Literaturbriefe des Wilhelm Goldmann Verlages.

Name: _____

Beruf: _____

Ort: (   ) _____

Straße: _____

Ich empfehle Ihnen, Ihre Verzeichnisse auch an die nachstehende Anschrift zu senden:

Name: _____

Beruf: _____

Ort: (   ) _____

Straße: _____

Goldmann-Bücher erhalten Sie in allen Buchhandlungen, in vielen Kaufhäusern und an den meisten Bahnhofskiosken überall in der Welt, wo deutsche Bücher verkauft werden.

Für Mitteilungen:

XXII · 920 · 164 · 3200

Wilhelm Goldmann Verlag AG

8000 MÜNCHEN 8

Postfach 205